#교재검토
#선생님들
#감사합니다

강동욱 강면광 강세임 강유진 고예원 구은정 권구미 권익재 권지나 권효석 길지만
김민정 김민지 김솔 김수빈 김수아 김용찬 김정식 김정하 김주현 김준 김지나
김진규 김채연 김희연 노경욱 류세영 류화숙 민동진 민혜린 박레나 박상범 박선영
박영경 박영선 박영주 박유경 박은미 박은하 박진영 박효정 소지희 손규현 손지현
송희승 신나리 안재은 양성모 양지영 양지혁 양희린 엄금희 오보나 오재원 오희정
우진일 원주영 유효선 윤인영 윤정희 윤지영 이경미 이명순 이솜결 이수빈 이아랑
이아현 이은미 이충기 이현진 임도희 임유정 임은정 정수정 정진아 지민경 차효순
최수연 최아현 최인규 하선빈 허미영 홍수정 황근은

Chunjae Makes Chunjae

▼

편집개발	이명진, 신원경, 이민선
디자인총괄	김희정
표지디자인	윤순미, 장미
내지디자인	박희춘, 박광순
제작	황성진, 조규영

발행일	2021년 5월 1일 초판 2021년 5월 1일 1쇄
발행인	(주)천재교육
주소	서울시 금천구 가산로9길 54
신고번호	제2001-000018호
고객센터	1577-0902
교재 내용문의	(02)3282-8884

※ 정답 분실 시에는 천재교육 교재 홈페이지에서 내려받으세요.

중학 어휘
3

시작은

하루 영어

시작은 하루 영어 중학 어휘 3 **구성과 특징**

시작하며

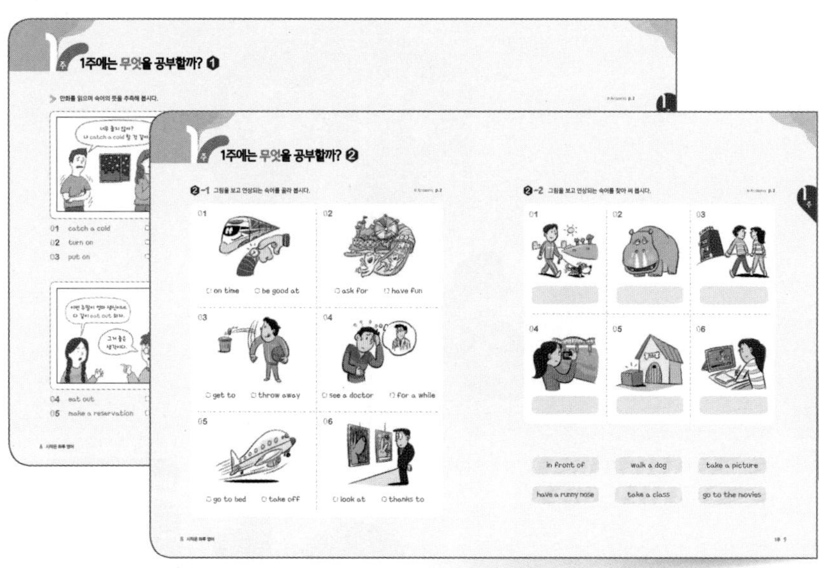

▎이번 주에는 무엇을 공부할까? ❶,❷

- 그 주의 공부를 시작하기 전에 숙어의 의미를 추측해 볼 수 있도록 만화로 재미있게 구성하였습니다.
- 그 주에 공부할 숙어를 간단한 그림 문제로 미리 익힐 수 있게 구성하였습니다.

한 주를 시작하기 전에 잠깐 시간을 내서 공부해 봐요.

한 주를 마무리 하며

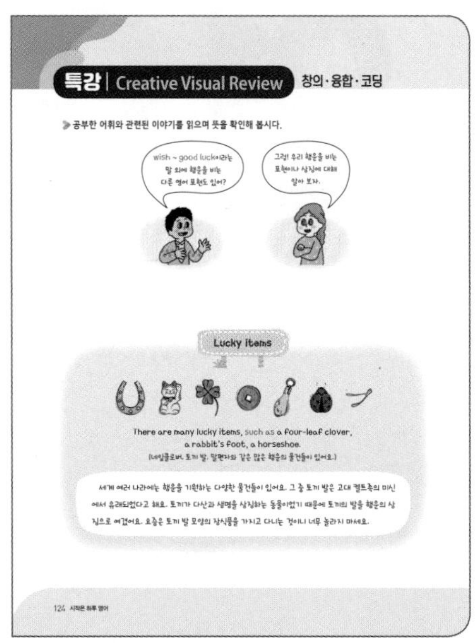

▎특강 창의·융합·코딩

어휘와 관련된 재미있는 이야기를 읽고, 창의·융합·코딩 문제를 풀면서 한 주 동안 공부한 내용을 복습할 수 있도록 하였습니다.

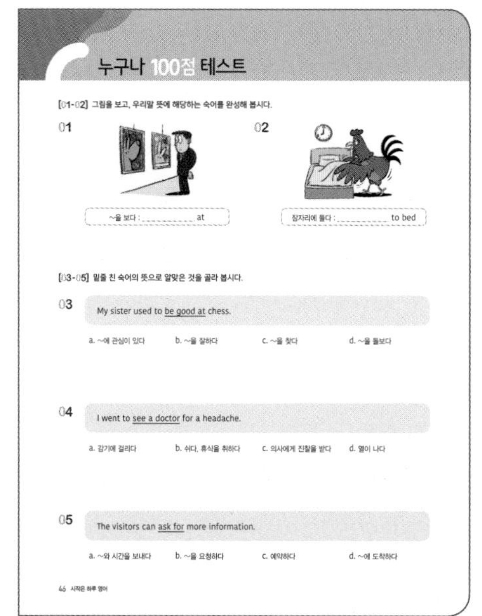

▎누구나 100점 테스트

한 주를 마무리하며 학습한 어휘를 얼마나 잘 익혔는지 테스트할 수 있도록 하였습니다.

5일 동안

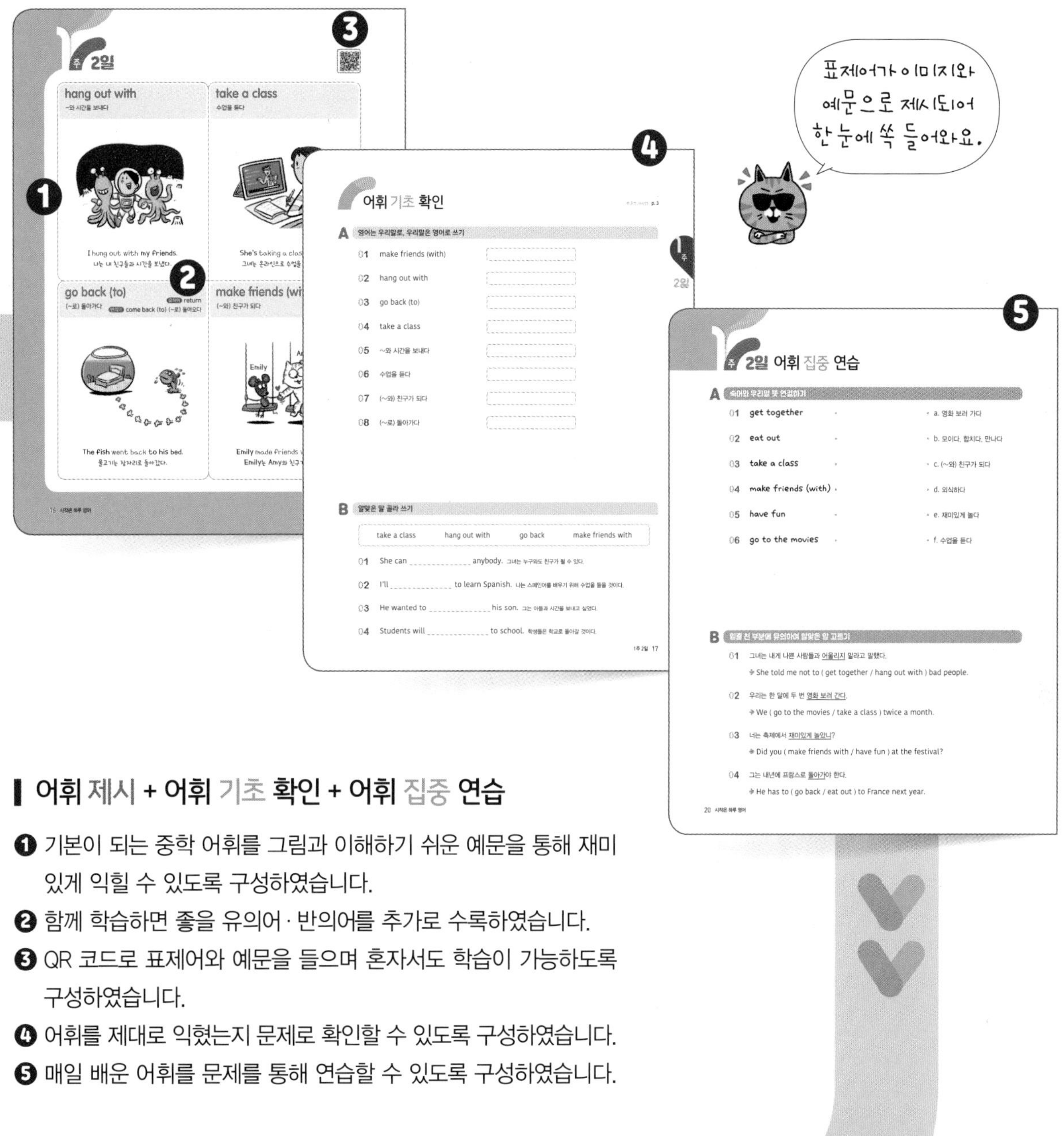

어휘 제시 + 어휘 기초 확인 + 어휘 집중 연습

❶ 기본이 되는 중학 어휘를 그림과 이해하기 쉬운 예문을 통해 재미있게 익힐 수 있도록 구성하였습니다.
❷ 함께 학습하면 좋을 유의어 · 반의어를 추가로 수록하였습니다.
❸ QR 코드로 표제어와 예문을 들으며 혼자서도 학습이 가능하도록 구성하였습니다.
❹ 어휘를 제대로 익혔는지 문제로 확인할 수 있도록 구성하였습니다.
❺ 매일 배운 어휘를 문제를 통해 연습할 수 있도록 구성하였습니다.

시작은 하루 영어 중학 어휘 3

차례

1주

2주

3주

어휘	쪽수	공부한 날
3주에는 무엇을 공부할까? ❶❷	pp. 90~93	월 일
1일	pp. 94~99	월 일
2일	pp. 100~105	월 일
3일	pp. 106~111	월 일
4일	pp. 112~117	월 일
5일	pp. 118~123	월 일
특강 창의·융합·코딩	pp. 124~129	월 일
누구나 100점 테스트	pp. 130~131	월 일

어휘	쪽수	공부한 날
4주에는 무엇을 공부할까? ❶❷	pp. 132~135	월 일
1일	pp. 136~141	월 일
2일	pp. 142~147	월 일
3일	pp. 148~153	월 일
4일	pp. 154~159	월 일
5일	pp. 160~165	월 일
특강 창의·융합·코딩	pp. 166~171	월 일
누구나 100점 테스트	pp. 172~173	월 일

1주 1주에는 무엇을 공부할까? 1

만화를 읽으며 숙어의 뜻을 추측해 봅시다.

01 catch a cold ☐ 콧물이 나다 ☐ 감기에 걸리다

02 turn on ☐ ~을 찾다 ☐ (전기·수도 등을) 켜다, 틀다

03 put on ☐ (옷 등을) 입다 ☐ 이룩하다, (옷 등을) 벗다

04 eat out ☐ 외식하다 ☐ 모이다, 합치다, 만나다

05 make a reservation ☐ ~을 요청하다 ☐ 예약하다

Answers p. 2

06 go back ☐ (~로) 돌아가다 ☐ 수업을 듣다

07 hurry up ☐ 기운을 내다, ~을 격려하다 ☐ 서두르다

08 have a fever ☐ 열이 나다 ☐ 콧물이 나다

09 get some rest ☐ 잠자리에 들다 ☐ 쉬다, 휴식을 취하다

10 get up ☐ 일어나다 ☐ 의사에게 진찰을 받다

1주에는 무엇을 공부할까? ❷

❷-1 그림을 보고 연상되는 숙어를 골라 봅시다.

Answers p. 2

01

☐ on time ☐ be good at

02

☐ ask for ☐ have fun

03

☐ get to ☐ throw away

04

☐ see a doctor ☐ for a while

05

☐ go to bed ☐ take off

06

☐ look at ☐ thanks to

2-2 그림을 보고 연상되는 숙어를 찾아 써 봅시다.

Answers p. 2

01

02

03

04

05

06

in front of	walk a dog	take a picture
have a runny nose	take a class	go to the movies

hurry up

서두르다

비교 in a hurry 급히, 서둘러

Hurry up, or you'll get wet.

서둘러라, 그렇지 않으면 비에 젖을 것이다.

be late for

~에 늦다

He was late for school.

그는 학교에 늦었다.

get up

일어나다

반의어 go to bed 잠자리에 들다

비교 wake up 깨어나다, 깨우다

She always gets up early.

그녀는 항상 일찍 일어난다.

go to bed

잠자리에 들다

반의어 get up 일어나다

I should go to bed early.

나는 일찍 잠자리에 들어야 한다.

어휘 기초 확인

Answers p. 2

A 영어는 우리말로, 우리말은 영어로 쓰기

01 go to bed

02 hurry up

03 be late for

04 get up

05 ~에 늦다

06 서두르다

07 일어나다

08 잠자리에 들다

B 알맞은 말 골라 쓰기

be late for	get up	go to bed	hurry up

01 What time do you usually ______________? 너는 보통 몇 시에 잠자리에 드니?

02 We tried hard not to ______________ work. 우리는 일에 늦지 않으려 아주 노력했다.

03 Let's ______________ before the bus leaves. 버스가 떠나기 전에 서두르자.

04 She needs to ______________ in five hours. 그녀는 다섯 시간 후에 일어나야 한다.

be good at

~을 잘하다

반의어 be poor at ~에 서툴다

비교 be good for ~에 좋다

I'm good at skateboarding.

나는 스케이트보드를 잘 탄다.

in front of

~의 앞에

반의어 behind ~의 뒤에

The box is in front of the door.

상자는 문 앞에 있다.

put on

(옷 등을) 입다

반의어 take off (옷 등을) 벗다

비교 try on (옷 등을) 입어 보다

He is putting on the jacket.

그는 재킷을 입고 있다.

be from

~ 출신이다

유의어 come from

The woman is from New York.

그 여자는 뉴욕 출신이다.

어휘 기초 확인

Answers p. 2

A 영어는 우리말로, 우리말은 영어로 쓰기

01 be from

02 in front of

03 be good at

04 put on

05 ~을 잘하다

06 ~ 출신이다

07 (옷 등을) 입다

08 ~의 앞에

B 알맞은 말 넣어 문장 완성하기

01 The fence was in ______ of the horses. 울타리가 말 앞에 있었다.

02 My sister used to be ______ at chess. 내 여동생은 체스를 잘 두곤 했다.

03 The musicians were ______ Italy. 그 음악가들은 이탈리아 출신이었다.

04 I ______ on my glasses to read the note. 나는 메모를 읽기 위해 안경을 썼다.

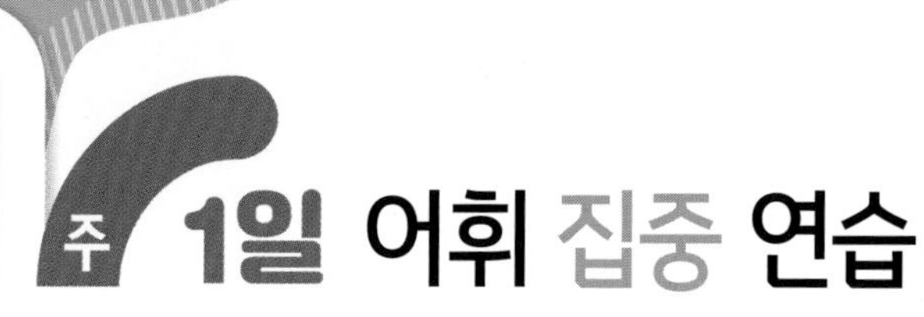

1주 1일 어휘 집중 연습

A 숙어와 우리말 뜻 연결하기

01 be late for •
02 hurry up •
03 be good at •
04 be from •
05 in front of •
06 get up •

• a. ~의 앞에
• b. 서두르다
• c. ~ 출신이다
• d. 일어나다
• e. ~에 늦다
• f. ~을 잘하다

B 밑줄 친 부분에 유의하여 알맞은 말 고르기

01 네가 잠자리에 들기 전에 내게 전화해 줘.

➔ Please call me before you (go to bed / hurry up).

02 나는 그 아이가 신발을 신는 것을 도왔다.

➔ I helped the kid (put on / be good at) his shoes.

03 그녀는 아침 여섯 시에 일어나는 것이 힘들다.

➔ It's hard for her to (go to bed / get up) at six in the morning.

04 그 가수는 예술가 집안 출신이다.

➔ The singer (is from / is late for) a family of artists.

Answers p. 2

C 빈칸에 알맞은 철자를 넣어 문장 완성하기

01 그녀의 딸은 운동을 아주 잘했다.

➔ Her daughter was very g[ ][ ][ ] at sports.

02 선생님은 수업에 절대 늦지 않으신다.

➔ The teacher is never [ ]a[ ]e for a class.

03 너는 서둘러서 옷을 입는 것이 좋겠다.

➔ You'd better [ ]u[ ]r[ ] up and get dressed.

04 그 여자는 거울 앞에 섰다.

➔ The woman stood in f[ ][ ]n[ ] of the mirror.

1주 1일 누적 테스트 영어는 우리말로, 우리말은 영어로 쓰기

01	be good at		09	잠자리에 들다	
02	be from		10	~에 늦다	
03	be late for		11	(옷 등을) 입다	
04	go to bed		12	서두르다	
05	put on		13	~의 앞에	
06	get up		14	~을 잘하다	
07	hurry up		15	~ 출신이다	
08	in front of		16	일어나다	

hang out with

~와 시간을 보내다

I hung out with my friends.
나는 내 친구들과 시간을 보냈다.

take a class

수업을 듣다

She's taking a class online.
그녀는 온라인으로 수업을 듣고 있다.

go back (to)

(~로) 돌아가다

유의어 return
반의어 come back (to) (~로) 돌아오다

The fish went back to his bed.
물고기는 잠자리로 돌아갔다.

make friends (with)

(~와) 친구가 되다

Emily made friends with Amy.
Emily는 Amy와 친구가 되었다.

어휘 기초 확인

Answers p. 3

1주 2일

A 영어는 우리말로, 우리말은 영어로 쓰기

01 make friends (with) [   ]

02 hang out with [   ]

03 go back (to) [   ]

04 take a class [   ]

05 ~와 시간을 보내다 [   ]

06 수업을 듣다 [   ]

07 (~와) 친구가 되다 [   ]

08 (~로) 돌아가다 [   ]

B 알맞은 말 골라 쓰기

take a class	hang out with	go back	make friends with

01 She can ______ anybody. 그녀는 누구와도 친구가 될 수 있다.

02 I'll ______ to learn Spanish. 나는 스페인어를 배우기 위해 수업을 들을 것이다.

03 He wanted to ______ his son. 그는 아들과 시간을 보내고 싶었다.

04 Students will ______ to school. 학생들은 학교로 돌아갈 것이다.

1주 2일

have fun

재미있게 놀다

유의어 have a good time, enjoy oneself

They had fun at the amusement park.

그들은 놀이공원에서 재미있게 놀았다.

eat out

외식하다

유의어 dine out

We often eat out on Sundays.

우리는 일요일에 종종 외식한다.

get together

모이다, 합치다, 만나다

They'll get together at Christmas.

그들은 크리스마스에 모일 것이다.

go to the movies

영화 보러 가다

Let's go to the movies tonight.

오늘 밤에 영화 보러 가자.

어휘 기초 확인

Answers p. 3

A 영어는 우리말로, 우리말은 영어로 쓰기

01 get together

02 eat out

03 have fun

04 go to the movies

05 외식하다

06 영화 보러 가다

07 모이다, 합치다, 만나다

08 재미있게 놀다

B 알맞은 말 넣어 문장 완성하기

01 He had enough money to ______ out. 그는 외식할 충분한 돈이 있었다.

02 Let's ______ together for dinner soon. 가까운 시일에 저녁 먹으러 모이자.

03 Would you like to ______ to the ______ with me? 나와 영화 보러 갈래?

04 Kids want to ______ fun during the summer. 아이들은 여름에 재미있게 놀고 싶다.

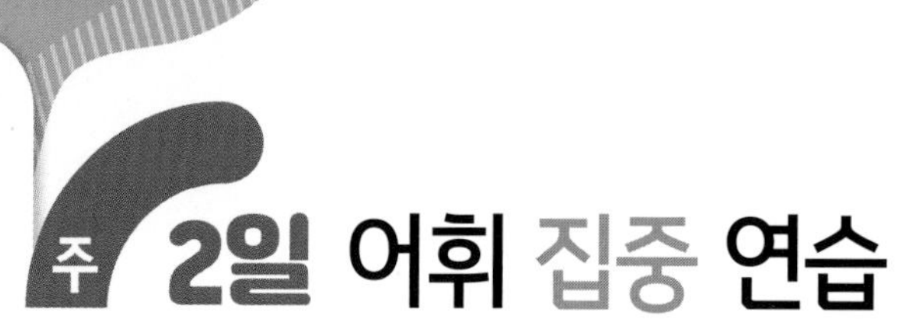

1주 2일 어휘 집중 연습

A 숙어와 우리말 뜻 연결하기

01	get together	•	• a. 영화 보러 가다
02	eat out	•	• b. 모이다, 합치다, 만나다
03	take a class	•	• c. (~와) 친구가 되다
04	make friends (with)	•	• d. 외식하다
05	have fun	•	• e. 재미있게 놀다
06	go to the movies	•	• f. 수업을 듣다

B 밑줄 친 부분에 유의하여 알맞은 말 고르기

01 그녀는 내게 나쁜 사람들과 어울리지 말라고 말했다.

➔ She told me not to (get together / hang out with) bad people.

02 우리는 한 달에 두 번 영화 보러 간다.

➔ We (go to the movies / take a class) twice a month.

03 너는 축제에서 재미있게 놀았니?

➔ Did you (make friends with / have fun) at the festival?

04 그는 내년에 프랑스로 돌아가야 한다.

➔ He has to (go back / eat out) to France next year.

○ Answers p. 3

C 빈칸에 알맞은 철자를 넣어 문장 완성하기

01 그들은 같이 역사 수업을 듣기로 동의했다.

➔ They agreed to [ ][a][k][ ] a history class together.

02 그는 새로 온 학생과 친구가 되고 싶었다.

➔ He hoped to [m][ ][ ][e] friends with a new student.

03 우리는 모두 네가 떠나기 전에 모일 것이다.

➔ We'll all get [t][ ][g][e][ ][ ][e][ ] before you leave.

04 너희 가족은 얼마나 자주 외식하니?

➔ How often does your family [e][ ][ ] out?

1주 1~2일 누적 테스트 영어는 우리말로, 우리말은 영어로 쓰기

01	go back (to)		09	수업을 듣다	
02	have fun		10	영화 보러 가다	
03	be late for		11	~의 앞에	
04	eat out		12	일어나다	
05	hang out with		13	~ 출신이다	
06	go to bed		14	서두르다	
07	be good at		15	모이다, 합치다, 만나다	
08	put on		16	(~와) 친구가 되다	

catch a cold

감기에 걸리다

유의어 have a cold

The young man caught a cold.

그 젊은 남자는 감기에 걸렸다.

have a runny nose

콧물이 나다

I have a runny nose in the morning.

나는 아침에 콧물이 난다.

have a fever

열이 나다

The baby had a fever.

그 아기는 열이 났다.

see a doctor

의사에게 진찰을 받다

유의어 go to a doctor

I'll go to see a doctor.

나는 의사에게 진찰을 받으러 갈 것이다.

어휘 기초 확인

Answers p. 3

A 영어는 우리말로, 우리말은 영어로 쓰기

01 catch a cold

02 have a runny nose

03 see a doctor

04 have a fever

05 콧물이 나다

06 감기에 걸리다

07 의사에게 진찰을 받다

08 열이 나다

B 알맞은 말 골라 쓰기

have a fever	have a runny nose	see a doctor	catch a cold

01 Why don't you go to ______________? 의사에게 진찰을 받으러 가는 게 어때?

02 My dog seems to ______________. 내 개는 열이 나는 것 같다.

03 We usually ______________ when we cry. 우리는 보통 울 때 콧물이 난다.

04 Be careful not to ______________. 감기에 걸리지 않도록 조심해라.

1주 3일

each other

서로

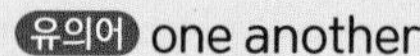 유의어 one another

The monsters looked at each other.

괴물들은 서로를 바라봤다.

be interested in

~에 관심이 있다

The girl is interested in rap music.

그 소녀는 랩에 관심이 있다.

look for

~을 찾다

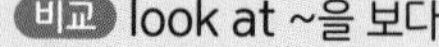 비교 look at ~을 보다

He's looking for his glasses.

그는 안경을 찾고 있다.

take a picture

사진을 찍다

She took pictures of the bridge.

그녀는 다리 사진을 찍었다.

어휘 기초 확인

Answers p. 4

A 영어는 우리말로, 우리말은 영어로 쓰기

01 look for

02 take a picture

03 each other

04 be interested in

05 사진을 찍다

06 ~을 찾다

07 ~에 관심이 있다

08 서로

B 알맞은 말 넣어 문장 완성하기

01 Family members help ____________ other. 가족 구성원들은 서로 돕는다.

02 I asked him to ____________ a picture for us. 나는 그에게 우리 사진을 찍어달라고 부탁했다.

03 The student seems to be ____________ in birds. 그 학생은 새에 관심이 있어 보인다.

04 He began to ____________ for a new job. 그는 새로운 일자리를 찾기 시작했다.

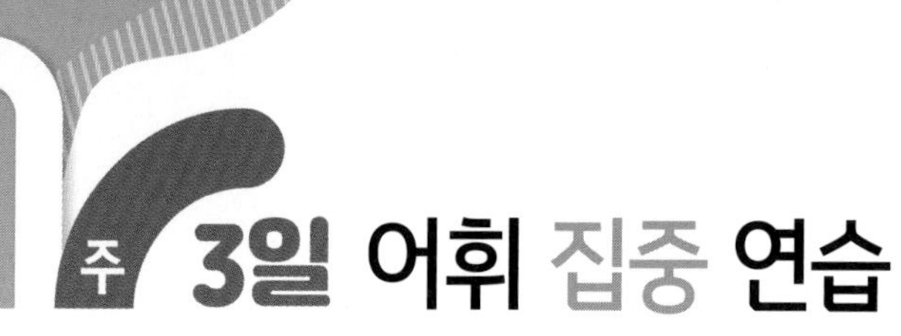

1주 3일 어휘 집중 연습

A 숙어와 우리말 뜻 연결하기

01 look for •

02 have a fever •

03 see a doctor •

04 each other •

05 be interested in •

06 catch a cold •

• a. 열이 나다

• b. 감기에 걸리다

• c. ~에 관심이 있다

• d. 서로

• e. 의사에게 진찰을 받다

• f. ~을 찾다

B 밑줄 친 부분에 유의하여 알맞은 말 고르기

01 나는 두통 때문에 의사에게 진찰받으러 갔다.

➜ I went to (see a doctor / each other) for a headache.

02 그들은 한국 문화에 관심이 있다.

➜ They (are interested in / look for) Korean culture.

03 많은 아이들은 항상 콧물이 난다.

➜ Many children (have a fever / have a runny nose) all the time.

04 제 사진을 찍어 줄 수 있나요?

➜ Could you (catch a cold / take a picture) of me?

Answers p. 4

C 빈칸에 알맞은 철자를 넣어 문장 완성하기

01 열이 날 때 운동하지 마라.

➔ Don't exercise when you have a [f][ ][v][ ][ ].

02 다른 사람으로부터 감기에 걸리기 쉽다.

➔ It's easy to [ ][a][t][ ][ ] a cold from another person.

03 우리는 서로 오래 알고 지냈다.

➔ We've known each [o][ ][h][ ][ ] for a long time.

04 대부분의 동물은 먹이를 찾기 위해 이동한다.

➔ Most animals move to [l][ ][ ][k] for food.

1주 2~3일 누적 테스트 영어는 우리말로, 우리말은 영어로 쓰기

01	each other		09	~와 시간을 보내다	
02	go to the movies		10	~에 관심이 있다	
03	see a doctor		11	감기에 걸리다	
04	get together		12	재미있게 놀다	
05	look for		13	콧물이 나다	
06	make friends (with)		14	(~로) 돌아가다	
07	have a fever		15	사진을 찍다	
08	take a class		16	외식하다	

1주 4일

get some rest

쉬다, 휴식을 취하다

유의어 take a break

She'll get some rest at home.

그녀는 집에서 쉴 것이다.

walk a dog

개를 산책시키다

I walk my dog in the morning.

나는 아침에 개를 산책시킨다.

look at

~을 보다

유의어 see, watch

비교 look for ~을 찾다

The man is looking at the paintings.

그 남자는 그림을 보고 있다.

turn on

(전기·수도 등을) 켜다, 틀다

반의어 turn off (전기·수도 등을) 끄다, 잠그다

Mom turned on the light.

엄마는 전등을 키셨다.

어휘 기초 확인

Answers p. 4

1주 4일

A 영어는 우리말로, 우리말은 영어로 쓰기

01 look at

02 get some rest

03 walk a dog

04 turn on

05 개를 산책시키다

06 쉬다, 휴식을 취하다

07 (전기·수도 등을) 켜다, 틀다

08 ~을 보다

B 알맞은 말 넣어 문장 완성하기

01 The driver stopped to ________ at the tire. 운전자는 타이어를 보기 위해 멈췄다.

02 Can you ________ on the heat for a few minutes? 난방기구를 몇 분 정도 켜줄래?

03 Drink warm water and ________ some rest. 따뜻한 물을 마시고 좀 쉬렴.

04 You should ________ a dog once a day. 너는 하루에 한 번 개를 산책시켜야 한다.

ask for

~을 요청하다

The man asked for help.
그 남자는 도움을 요청했다.

on the way home

집으로 오는 길에

I saw a rainbow on the way home.
나는 집으로 오는 길에 무지개를 보았다.

on time

제때

비교 in time 늦지 않게

The train arrived on time.
기차가 제때 도착했다.

get to

~에 도착하다

유의어 arrive at[in], reach

The kids got to the zoo.
아이들은 동물원에 도착했다.

어휘 기초 확인

Answers p. 4

A 영어는 우리말로, 우리말은 영어로 쓰기

01 on time

02 on the way home

03 ask for

04 get to

05 ~을 요청하다

06 제때

07 ~에 도착하다

08 집으로 오는 길에

B 알맞은 말 골라 쓰기

on the way home	ask for	on time	get to

01 You should ________ the airport early. 너는 공항에 일찍 도착해야 한다.

02 She called me to ________ some advice. 그녀는 조언을 구하기 위해 내게 전화했다.

03 It started to snow ________. 집으로 오는 길에 눈이 오기 시작했다.

04 The pizza wasn't delivered ________. 피자는 제때 배달되지 않았다.

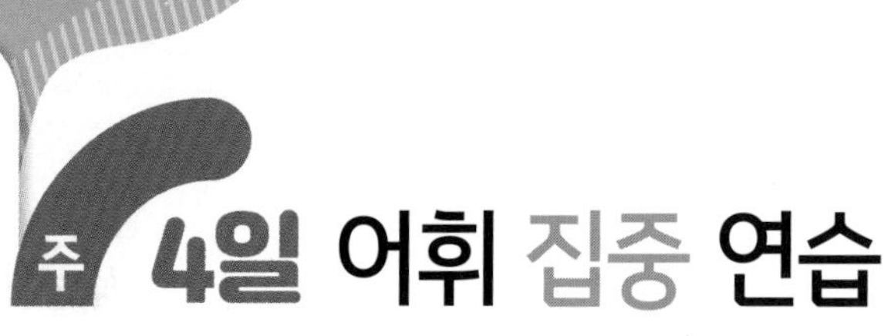

1주 4일 어휘 집중 연습

A 숙어와 우리말 뜻 연결하기

01 ask for •

02 look at •

03 walk a dog •

04 turn on •

05 get to •

06 on time •

• a. 개를 산책시키다

• b. (전기·수도 등을) 켜다, 틀다

• c. 제때

• d. ~에 도착하다

• e. ~을 요청하다

• f. ~을 보다

B 밑줄 친 부분에 유의하여 알맞은 말 고르기

01 메뉴를 볼 시간을 조금 주세요.

➜ Please give me a minute to (ask for / look at) the menu.

02 집으로 오는 길에 우유를 좀 사다 줄래?

➜ Can you get some milk (on the way home / on time)?

03 우리는 극장에 2시까지 도착하기 위해 지하철을 탔다.

➜ We took the subway to (get to / turn on) the theater by 2.

04 의사는 그에게 좀 쉬라고 말했다.

➜ The doctor told him to (walk a dog / get some rest).

Answers p. 5

C 빈칸에 알맞은 철자를 넣어 문장 완성하기

01 나는 보통 집에 오면 TV를 튼다.

➜ I usually [t][ ][r][ ] on the TV when I come home.

02 그녀는 우리에게 그녀의 개를 산책시켜달라고 요청했다.

➜ She asked us to [ ][a][l][ ] her dog.

03 방문객들은 더 많은 정보를 요청할 수 있다.

➜ The visitors can [ ][s][ ] for more information.

04 그들은 제때 과제를 끝냈다.

➜ They finished the project on [ ][i][ ][ ].

1주 3~4일 누적 테스트 영어는 우리말로, 우리말은 영어로 쓰기

01	on time	
02	be interested in	
03	get some rest	
04	on the way home	
05	have a runny nose	
06	take a picture	
07	look at	
08	catch a cold	
09	~을 요청하다	
10	~을 찾다	
11	(전기·수도 등을) 켜다, 틀다	
12	서로	
13	~에 도착하다	
14	열이 나다	
15	의사에게 진찰을 받다	
16	개를 산책시키다	

take off

[1]이륙하다 [2](옷 등을) 벗다

반의어 [1]land 착륙하다, [2]put on (옷 등을) 입다

The airplane is taking off.
비행기가 이륙하고 있다.

Why don't you take off your hat?
네 모자를 벗는 게 어때?

thanks to

~ 덕분에

Her success was thanks to her mom.
그녀의 성공은 엄마 덕분이었다.

in trouble

곤경에 처한

유의어 in difficulty

The boy seems to be in trouble.
그 소년은 곤경에 처한 것 같다.

cheer up

기운을 내다, ~을 격려하다

My friend always cheers me up.
내 친구는 항상 나를 격려한다.

어휘 기초 확인

Answers p. 5

1주 5일

A 영어는 우리말로, 우리말은 영어로 쓰기

01 cheer up

02 take off

03 in trouble

04 thanks to

05 기운을 내다, ~을 격려하다

06 이륙하다, (옷 등을) 벗다

07 ~ 덕분에

08 곤경에 처한

B 알맞은 말 넣어 문장 완성하기

01 I found the answer, __________ to his help. 나는 그의 도움 덕분에 답을 찾았다.

02 She tried to __________ up her sick sister. 그녀는 아픈 여동생을 격려하려 노력했다.

03 Please __________ off your shoes at the door. 문에서 신발을 벗어주세요.

04 If we fail, we will be in __________. 우리가 실패하면 곤경에 처할 것이다.

make a reservation

예약하다

유의어 book, reserve

I made a reservation at the restaurant.

나는 식당을 예약했다.

throw away

[1]버리다 [2](기회 등을) 허비하다

He threw away the can.

그는 캔을 버렸다.

Don't throw away this opportunity.

이 기회를 허비하지 마라.

take care of

~을 돌보다

유의어 look after, care for

My uncle would take care of us.

삼촌이 우리를 돌봐주곤 했다.

for a while

잠깐 동안

유의어 for a moment

비교 after a while 잠시 후에

She opened the window for a while.

그녀는 잠깐 동안 창문을 열었다.

어휘 기초 확인

Answers p. 5

A 영어는 우리말로, 우리말은 영어로 쓰기

01 for a while

02 throw away

03 make a reservation

04 take care of

05 예약하다

06 잠깐 동안

07 ~을 돌보다

08 버리다, (기회 등을) 허비하다

B 알맞은 말 골라 쓰기

for a while	take care of	throw away	make a reservation

01 Tom decided to ______ his old socks. Tom은 낡은 양말을 버리기로 했다.

02 He should ______ himself. 그는 자신을 돌보아야 한다.

03 I'd like to ______ for two at 12. 나는 열두 시에 두 명을 예약하고 싶다.

04 Why don't you lie down ______? 잠깐 동안 누워 있는 게 어때?

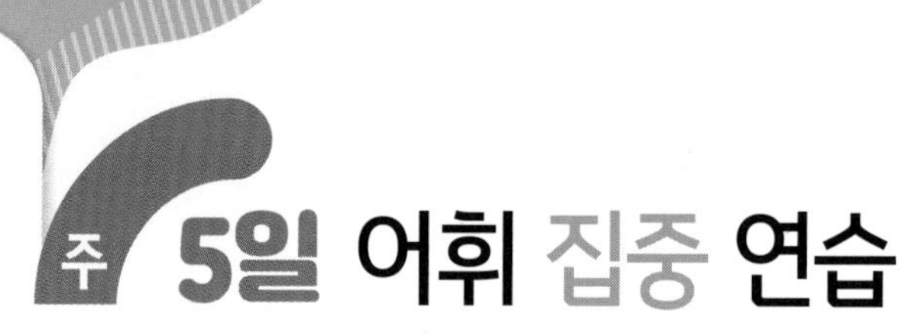

1주 5일 어휘 집중 연습

A 숙어와 우리말 뜻 연결하기

01	take off	a. 기운을 내다, ~을 격려하다
02	cheer up	b. 버리다, (기회 등을) 허비하다
03	thanks to	c. 잠깐 동안
04	for a while	d. 이륙하다, (옷 등을) 벗다
05	take care of	e. ~ 덕분에
06	throw away	f. ~을 돌보다

B 밑줄 친 부분에 유의하여 알맞은 말 고르기

01 그 회사는 작년에 곤경에 처했다.

➔ The company was (in trouble / cheer up) last year.

02 그녀는 나를 위해 내 가족을 돌봐줄 것이다.

➔ She'll (throw away / take care of) my family for me.

03 네가 열심히 한 덕분에 우리는 시합에서 이겼다.

➔ (For a while / Thanks to) your hard work, we won the race.

04 나는 부산행 비행기를 예약하지 않았다.

➔ I didn't (make a reservation / take off) for a flight to Busan.

Answers p. 5

C 빈칸에 알맞은 철자를 넣어 문장 완성하기

01 그 여자는 잠깐 동안 사무실을 비웠다.

➔ The woman left her office for a [ ][h][ ][ ][e].

02 비행기는 안개 때문에 이륙할 수 없었다.

➔ The plane couldn't [t][ ][ ][e] off because of the fog.

03 그는 우리를 어떻게 기운 나게 하는지 항상 알고 있다.

➔ He always knows how to [ ][h][ ][e][ ] us up.

04 너는 매일 얼마나 많은 음식을 버리니?

➔ How much food do you [t][ ][r][ ][ ] away each day?

1주 4~5일 누적 테스트 영어는 우리말로, 우리말은 영어로 쓰기

01	take off		09	~ 덕분에	
02	throw away		10	쉬다, 휴식을 취하다	
03	turn on		11	예약하다	
04	get to		12	~을 보다	
05	take care of		13	곤경에 처한	
06	ask for		14	집으로 오는 길에	
07	cheer up		15	잠깐 동안	
08	walk a dog		16	제때	

특강 | Creative Visual Review 창의·융합·코딩

공부한 어휘와 관련된 이야기를 읽으며 뜻을 확인해 봅시다.

I have a fever and a runny nose.
(나 열과 콧물이 나.)

Oh, you caught a cold.
(오, 감기에 걸렸구나.)
우리나라는 예로부터 감기에 걸리면 꿀을 넣은 배를 먹었어. 다른 나라에는 어떤 감기 자연치료 요법이 있는지 알아볼까?

Have some Vin Chaud and get some rest.
(뱅쇼를 마시고 좀 쉬어요.)

프랑스에서는 감기에 걸렸을 때 계피와 과일 등을 넣고 끓인 따뜻한 와인인 뱅쇼를 마셔요. 계피는 몸을 따뜻하게 해서 체온과 기력을 회복시키는 효과가 있다고 해요. 그리고 레몬, 오렌지, 사과 등의 과일에 있는 풍부한 비타민C가 면역력을 높여줘요.

Austria 오스트리아

Oh, you have a fever. Put on these socks. (오, 열이 나네요. 이 양말을 신어요.)

오스트리아에서는 몸에 열이 날 때 식초 물에 담근 양말을 신어요. 찬물에 식초를 넣고 거기에 양말을 적신 후, 열이 나는 아이에게 신겨줘요. 식초가 혈액 순환을 도와주고 열을 제거해준다고 해요. 오스트리아에서는 식초 양말뿐만 아니라 기침 감기에 걸렸을 때 우유에 양파를 넣어 끓여 마신다고 해요.

India 인도

Thanks to turmeric milk, I feel much better.
(강황 우유 덕분에, 훨씬 나아졌어요.)

인도에서는 감기에 걸렸을 때 따뜻한 우유에 강황 가루를 타서 마셔요. 강황에 들어 있는 천연 색소 커큐민은 항산화 성분이 풍부해서 감기로 생긴 기도 염증을 진정시켜주고 면역력도 높여준다고 해요.

특강 | Creative Visual Review 창의·융합·코딩

A 그림에서 연상되는 숙어와 뜻을 찾아 써 봅시다.

1

2

3

4

5

6

catch a cold	look for	go back (to)
cheer up	get up	get some rest

쉬다, 휴식을 취하다	기운을 내다, ~을 격려하다	감기에 걸리다
일어나다	(~로) 돌아가다	~을 찾다

B 우리말 뜻에 해당하는 숙어를 완성해 봅시다.

1 제때 on ☐☐☐☐ (1)

2 콧물이 나다 ☐☐☐☐ a runny nose (2)

3 집으로 오는 길에 on the ☐☐☐ home (3)

4 서두르다 ☐☐☐☐☐ up

5 ~의 앞에 in ☐☐☐☐☐ of (4)

6 수업을 듣다 ☐☐☐☐ a class (5)

7 (~와) 친구가 되다 make ☐☐☐☐☐☐☐ (with) (6)

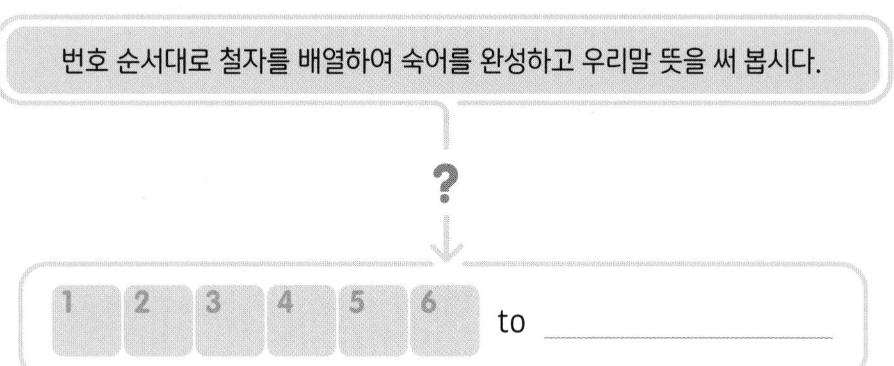

번호 순서대로 철자를 배열하여 숙어를 완성하고 우리말 뜻을 써 봅시다.
?
1 2 3 4 5 6 to

C 그림을 보고, 대화를 완성해 봅시다.

1

2

3

1 A: Do you want to ________ ________ tonight?

오늘 저녁에 외식하고 싶니?

B: Yes. I'll ________ a ________.

응. 내가 예약할게.

2 A: I'm ________ ________ movies.

나는 영화에 관심이 있어.

B: Me, too. Let's ________ to the ________ together.

나도 그래. 같이 영화 보러 가자.

3 A: I'm going to ________ ________ with my friends.

나는 친구들과 시간을 보낼 거야.

B: Okay. ________ ________!

그래. 재미있게 놀아!

Answers p. 6

D 크로스워드 퍼즐을 완성해 봅시다.

1주 특강

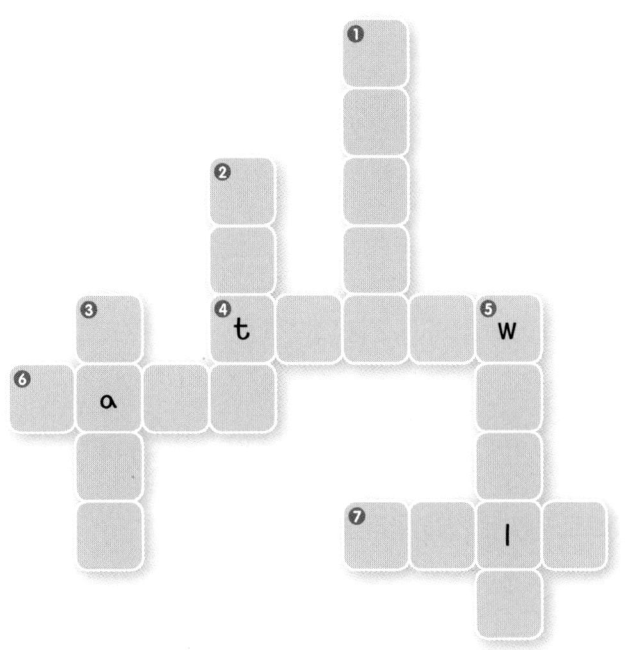

Down

1  have a ________

2 We were ________ for lunch. 우리는 점심 식사에 늦었다.

3 take ________ of ~을 돌보다

5 I waited for a ________. 나는 잠깐 동안 기다렸다.

Across

4 Don't ________ away food. 음식을 내다 버리지 마라.

6 land 착륙하다 ↔ ________ off

7 Did you ________ your dog today? 너는 오늘 네 개를 산책시켰니?

누구나 100점 테스트

[01-02] 그림을 보고, 우리말 뜻에 해당하는 숙어를 완성해 봅시다.

01

~을 보다 : ______________ at

02

잠자리에 들다 : ______________ to bed

[03-05] 밑줄 친 숙어의 뜻으로 알맞은 것을 골라 봅시다.

03

My sister used to be good at chess.

a. ~에 관심이 있다 b. ~을 잘하다 c. ~을 찾다 d. ~을 돌보다

04

I went to see a doctor for a headache.

a. 감기에 걸리다 b. 쉬다, 휴식을 취하다 c. 의사에게 진찰을 받다 d. 열이 나다

05

The visitors can ask for more information.

a. ~와 시간을 보내다 b. ~을 요청하다 c. 예약하다 d. ~에 도착하다

[06-07] 빈칸에 들어갈 알맞은 단어를 골라 봅시다.

06 Could you ____________ a picture of me? 제 사진을 찍어 줄 수 있나요?

a. take b. put c. make d. give

07 If we fail, we will be in ____________. 우리가 실패하면 곤경에 처할 것이다.

a. front b. while c. interest d. trouble

[08-10] 그림을 보고, 알맞은 단어를 골라 문장을 다시 써 봅시다.

08 They'll (take / get) together at Christmas.

➡

09 Mom (turned / made) on the light.

➡

10 He is (getting / putting) on the jacket.

➡

2주

2주에는 무엇을 공부할까? 1

> 만화를 읽으며 숙어의 뜻을 추측해 봅시다.

01 find out ▢ 찾아내다, 알아내다 ▢ 시도하다, 한번 해 보다

02 stand in line ▢ ~을 기다리다 ▢ 줄을 서다

03 ride a bike ▢ 자전거를 타다 ▢ 산책하다

04 check out ▢ 성적을 받다 ▢ (책 등을) 대출하다

05 for free ▢ 공짜로, 무료로 ▢ ~에 좋다

Answers p. 7

06 on sale ☐ 할인 중인, 판매 중인 ☐ ~에게 잘 어울리다

07 break a habit ☐ 습관을 고치다 ☐ 약속을 지키다

08 give up ☐ 달아나다 ☐ 포기하다

09 look around ☐ 둘러보다 ☐ 조심하다, 주의하다

10 in the middle of ☐ ~의 한가운데에 ☐ 여러 면에서

2주 2주에는 무엇을 공부할까? ❷

❷-1 그림을 보고 연상되는 숙어를 골라 봅시다.

Answers p. 7

01

☐ look good on ☐ grow up

02

☐ tell a lie ☐ all the time

03

☐ play a trick on ☐ next to

04

☐ wake up ☐ make fun of

05

☐ go away ☐ be good for

06

☐ keep one's promise ☐ a few

2-2 그림을 보고 연상되는 숙어를 찾아 써 봅시다.

Answers p. 7

01

02

03

04

05

06

take a walk | make a noise | do one's best

in secret | run away | be full of

ride a bike

자전거를 타다

I rode a bike in the park.
나는 공원에서 자전거를 탔다.

give it a try

시도하다, 한번 해 보다

Why don't you give it a try?
한번 시도해 보는 것이 어때?

look good on

~에게 잘 어울리다

The shirt looks good on you.
그 셔츠는 네게 잘 어울린다.

wait for

~을 기다리다

They were waiting for the bus.
그들은 버스를 기다리고 있었다.

어휘 기초 확인

Answers p. 7

A 영어는 우리말로, 우리말은 영어로 쓰기

01 look good on

02 ride a bike

03 wait for

04 give it a try

05 자전거를 타다

06 ~에게 잘 어울리다

07 시도하다, 한번 해 보다

08 ~을 기다리다

B 알맞은 말 골라 쓰기

give it a try	ride a bike	wait for	look good on

01 How long should we ______ the results? 우리는 결과를 얼마나 오래 기다려야 하니?

02 He was brave enough to ______. 그는 시도해 볼 만큼 용감했다.

03 I'll learn how to ______. 나는 자전거 타는 방법을 배울 것이다.

04 The color doesn't ______ her. 그 색은 그녀에게 잘 어울리지 않는다.

be surprised at

~에 놀라다

She was surprised at the heavy snow.

그녀는 폭설에 놀랐다.

look around

둘러보다

The dog looked around the room.

개는 방을 둘러보았다.

say hello to

~에게 안부를 전하다

유의어 give one's love [best wishes] to

Say hello to your sister for me.

네 누나에게 안부를 전해 줘.

grow up

자라다, 성장하다

비교 grown-up 어른

The boy grew up to be a chef.

소년은 자라서 요리사가 되었다.

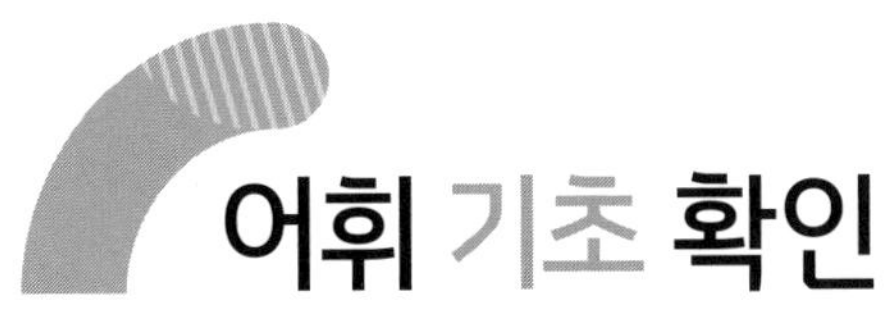

어휘 기초 확인

Answers p. 7

A 영어는 우리말로, 우리말은 영어로 쓰기

01 say hello to

02 grow up

03 look around

04 be surprised at

05 ~에게 안부를 전하다

06 둘러보다

07 ~에 놀라다

08 자라다, 성장하다

B 알맞은 말 넣어 문장 완성하기

01 Don't forget to ______ hello to your parents. 네 부모님께 안부 전하는 것을 잊지 마라.

02 I had to ______ around to find the seats. 나는 좌석을 찾기 위해 둘러보아야 했다.

03 The plant can ______ up to 3 meters tall. 그 식물은 3m까지 자랄 수 있다.

04 They were ______ at the amazing view. 그들은 그 멋진 전망에 놀랐다.

2주 1일 어휘 집중 연습

A 숙어와 우리말 뜻 연결하기

01 give it a try •
02 look around •
03 ride a bike •
04 say hello to •
05 look good on •
06 grow up •

• a. 자전거를 타다
• b. ~에게 안부를 전하다
• c. 시도하다, 한번 해 보다
• d. 자라다, 성장하다
• e. 둘러보다
• f. ~에게 잘 어울리다

B 밑줄 친 부분에 유의하여 알맞은 말 고르기

01 나는 도서관 문이 열리길 기다리고 있다.

➔ I've been (giving it a try / waiting for) the library doors to open.

02 우리는 그 집의 크기에 놀랐다.

➔ We (were surprised at / looked around) the size of the house.

03 네 새 헤어스타일이 네게 잘 어울린다.

➔ Your new hairstyle (looks good on / grows up) you.

04 그녀는 아무나 말할 사람을 찾아 둘러보았다.

➔ She (said hello to / looked around) for anyone to talk to.

Answers p. 7

C 빈칸에 알맞은 철자를 넣어 문장 완성하기

01 너는 자전거를 탈 때 헬멧을 쓰니?

➔ Do you wear a helmet when you [ ][i][ ][ ] a bike?

02 그녀는 대가족에서 자라지 않았다.

➔ She didn't [g][ ][ ][ ] up in a big family.

03 그는 모든 손님에게 안부를 전할 필요가 있다.

➔ He needs to say [h][ ][ ][l][ ] to all of the guests.

04 나는 적어도 일주일간 한번 시도해 보고 싶다.

➔ I'd like to [g][ ][ ][e] it a [ ][r][ ] at least for a week.

2주 1일

2주 1일 누적 테스트 영어는 우리말로, 우리말은 영어로 쓰기

01	look around		09	~에 놀라다	
02	grow up		10	~을 기다리다	
03	give it a try		11	자전거를 타다	
04	look good on		12	시도하다, 한번 해보다	
05	be surprised at		13	자라다, 성장하다	
06	say hello to		14	둘러보다	
07	ride a bike		15	~에게 안부를 전하다	
08	wait for		16	~에게 잘 어울리다	

break a habit

습관을 고치다

He tried to break a habit.
그는 습관을 고치려고 노력했다.

a long time ago

오래전에

유의어 once upon a time

I took this photo a long time ago.
나는 오래전에 이 사진을 찍었다.

make a noise

시끄럽게 하다

The baby made a noise with his toys.
아기가 장난감으로 시끄럽게 했다.

next to

~ 옆에

유의어 beside, by

The doll is next to the ball.
인형은 공 옆에 있다.

어휘 기초 확인

Answers p. 8

A 영어는 우리말로, 우리말은 영어로 쓰기

01 a long time ago

02 make a noise

03 break a habit

04 next to

05 오래전에

06 습관을 고치다

07 ~ 옆에

08 시끄럽게 하다

2주 2일

B 알맞은 말 골라 쓰기

next to	a long time ago	break a habit	make a noise

01 It was hard for me to ____________. 나는 습관을 고치는 것이 힘들었다.

02 Who is the boy sitting ____________ Mia. Mia 옆에 앉아 있는 소년은 누구니?

03 The movie was made ____________. 그 영화는 오래전에 만들어졌다.

04 He didn't let his son ____________. 그는 아들이 시끄럽게 하도록 내버려 두지 않았다.

be full of

~로 가득 차다

유의어 be filled with

The bag was full of gifts.
가방은 선물로 가득 찼다.

check out

[1](책 등을) 대출하다 [2](호텔·슈퍼에서) 계산하고 나오다

반의어 check in (호텔·공항에서) 투숙[탑승] 수속을 하다

She checked out cookbooks.
그녀는 요리책을 대출했다.

in the middle of

~의 한가운데에

유의어 in the center of

A house is in the middle of the sea.
집이 바다의 한가운데에 있다.

be good for

~에 좋다

반의어 be bad for ~에 좋지 않다

비교 be good at ~을 잘하다

Carrots are good for your eyes.
당근은 네 눈에 좋다.

어휘 기초 확인

Answers p. 8

A 영어는 우리말로, 우리말은 영어로 쓰기

01 be full of

02 be good for

03 in the middle of

04 check out

05 ~의 한가운데에

06 (책 등을) 대출하다,
(호텔·슈퍼에서) 계산하고 나오다

07 ~로 가득 차다

08 ~에 좋다

2주 2일

B 알맞은 말 넣어 문장 완성하기

01 All guests should __________ out before noon. 모든 투숙객은 정오 전에 나와야 한다.

02 These activities are __________ for students. 이 활동은 학생들에게 좋다.

03 The town was __________ of tourists in summer. 그 마을은 여름에 관광객들로 가득 찼다.

04 He woke up __________ the __________ of the night. 그는 한밤중에 잠에서 깼다.

2주 2일 어휘 집중 연습

A 숙어와 우리말 뜻 연결하기

01 in the middle of • • a. 습관을 고치다

02 be full of • • b. ~로 가득 차다

03 a long time ago • • c. 오래전에

04 make a noise • • d. ~의 한가운데에

05 be good for • • e. ~에 좋다

06 break a habit • • f. 시끄럽게 하다

B 밑줄 친 부분에 유의하여 알맞은 말 고르기

01 그는 그 책들을 2주 동안 대출했다.

➔ He (checked out / broke a habit) the books for two weeks.

02 서점 옆에 빵집이 있었다.

➔ There was a bakery (next to / in the middle of) the bookstore.

03 오래된 엔진은 자주 소음을 냈다.

➔ The old engine often (checked out / made a noise).

04 집 전체가 연기로 가득 찼다.

➔ The whole house (was full of / was good for) smoke.

Answers p. 8

C 빈칸에 알맞은 철자를 넣어 문장 완성하기

01 일부 TV 프로그램들은 아이들에게 유익하다.

➔ Some TV programs are g[ ]o[ ] for children.

02 나쁜 습관을 고치는 좋은 방법들이 있다.

➔ There are some good ways to [ ]r[ ][ ]k bad habits.

03 바퀴는 오래전에 발명되었다.

➔ The wheel was invented a l[ ][ ]g time [ ]g[ ].

04 공원의 한가운데에 호수가 있다.

➔ There is a lake in the [ ]i[ ]dl[ ] of the park.

2주 2일

2주 1~2일 누적 테스트 영어는 우리말로, 우리말은 영어로 쓰기

01	next to		09	(책 등을) 대출하다, (호텔 · 슈퍼에서) 계산하고 나오다	
02	wait for		10	자전거를 타다	
03	be good for		11	오래전에	
04	look around		12	자라다, 성장하다	
05	break a habit		13	~의 한가운데에	
06	be full of		14	~에 놀라다	
07	say hello to		15	시끄럽게 하다	
08	give it a try		16	~에게 잘 어울리다	

stand in line

줄을 서다

유의어 line up
비교 cut in line 새치기하다

People are standing in line for tickets.
사람들은 표를 사기 위해 줄을 서 있다.

for free

공짜로, 무료로

유의어 for nothing, free of charge

He got this toy car for free.
그는 이 장난감 차를 공짜로 얻었다.

wake up

깨어나다, 깨우다

반의어 sleep 잠자다
비교 get up 일어나다

She woke up to the alarm.
그녀는 알람에 깼다.

on sale

1 할인 중인 2 판매 중인

비교 for sale 판매용인

Some bags are on sale.
몇몇 가방이 할인 중이다.

어휘 기초 확인

Answers p. 8

A 영어는 우리말로, 우리말은 영어로 쓰기

01 on sale

02 for free

03 stand in line

04 wake up

05 줄을 서다

06 공짜로, 무료로

07 할인 중인, 판매 중인

08 깨어나다, 깨우다

B 알맞은 말 골라 쓰기

for free	stand in line	wake up	on sale

01 These books are ______________ now at half price. 이 책들은 지금 반값으로 할인 중이다.

02 It takes him a long time to ______________. 그는 잠에서 깨는 데 오래 걸린다.

03 How long did you ______________? 너는 얼마나 오래 줄을 섰니?

04 We could get into the museum ______________. 우리는 무료로 박물관에 입장할 수 있었다.

find out

찾아내다, 알아내다

I found out where my phone was.

나는 내 핸드폰이 어디에 있는지 알아냈다.

have ~ in common

~을 공통으로 갖고 있다

Twins have many things in common.

쌍둥이는 많은 공통점이 있다.

make fun of

~을 놀리다

유의어 make a fool of

We made fun of each other.

우리는 서로를 놀렸다.

help ~ with ...

~가 …하는 것을 돕다

My sister helped me with my homework.

누나는 내가 숙제하는 것을 도왔다.

어휘 기초 확인

Answers p. 9

A 영어는 우리말로, 우리말은 영어로 쓰기

01 have ~ in common

02 help ~ with ...

03 find out

04 make fun of

05 찾아내다, 알아내다

06 ~을 놀리다

07 ~을 공통으로 갖고 있다

08 ~가 …하는 것을 돕다

2주

3일

B 알맞은 말 넣어 문장 완성하기

01 You shouldn't ______ fun of other people. 너는 다른 사람을 놀리지 말아야 한다.

02 What do these two cities have in ______? 이 두 도시의 공통점이 무엇이니?

03 I'll ______ Dad ______ the gardening. 나는 아빠가 정원을 가꾸시는 것을 도울 것이다.

04 She had to ______ out what happened. 그녀는 무슨 일이 있었는지 알아내야 했다.

2주 3일 어휘 집중 연습

A 숙어와 우리말 뜻 연결하기

01 find out •
02 make fun of •
03 have ~ in common •
04 on sale •
05 wake up •
06 help ~ with ... •

• a. ~을 공통으로 갖고 있다
• b. 찾아내다, 알아내다
• c. 할인 중인, 판매 중인
• d. ~가 …하는 것을 돕다
• e. ~을 놀리다
• f. 깨어나다, 깨우다

B 밑줄 친 부분에 유의하여 알맞은 말 고르기

01 방문객들은 <u>무료로</u> 자전거를 빌릴 수 있다.

➔ The visitors can borrow a bike (on sale / for free).

02 너는 누가 이 메모를 보냈는지 <u>알아낼</u> 수 있니?

➔ Can you (have in common / find out) who sent this note?

03 나는 극장에서 팝콘을 사기 위해 <u>줄을 섰다</u>.

➔ I (stood in line / helped with) to buy popcorn at the theater.

04 그는 종종 밤에 <u>잠에서 깬다</u>.

➔ He often (makes fun of / wakes up) during the night.

Answers p. 9

C 빈칸에 알맞은 철자를 넣어 문장 완성하기

01 그녀는 내 이름을 놀리곤 했다.

➜ She used to [m][ ][ ][ ] fun of my name.

02 나는 지난주 할인할 때 이 셔츠를 샀다.

➜ I bought this shirt on [s][ ][ ][e] last week.

03 프랑스어와 영어는 공통점을 많이 가지고 있다.

➜ French and English [ ][a][ ][e] a lot in [c][ ][ ][m][ ][n].

04 우리는 노인이 가방을 드는 것을 돕고 싶었다.

➜ We wanted to [h][ ][l][ ] the old man [ ][ ][t][h] his bag.

2주 2~3일 누적 테스트 영어는 우리말로, 우리말은 영어로 쓰기

01	make fun of	
02	stand in line	
03	check out	
04	in the middle of	
05	find out	
06	make a noise	
07	wake up	
08	a long time ago	
09	공짜로, 무료로	
10	~을 공통으로 갖고 있다	
11	~로 가득 차다	
12	습관을 고치다	
13	~ 옆에	
14	할인 중인, 판매 중인	
15	~에 좋다	
16	~가 …하는 것을 돕다	

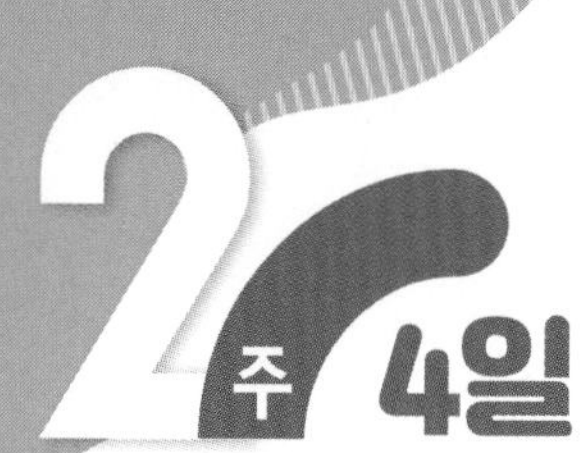

tell a lie

거짓말하다

Don't tell a lie to me.
내게 거짓말하지 마라.

run away

달아나다

유의어 escape

The girl ran away from the zombie.
소녀는 좀비로부터 달아났다.

in secret

몰래, 비밀리에

The boy played the game in secret.
소년은 몰래 게임을 했다.

play a trick on

~에게 장난을 치다

She played a trick on me.
그녀는 내게 장난을 쳤다.

어휘 기초 확인

Answers p. 9

A 영어는 우리말로, 우리말은 영어로 쓰기

01 in secret

02 play a trick on

03 tell a lie

04 run away

05 ~에게 장난을 치다

06 몰래, 비밀리에

07 달아나다

08 거짓말하다

B 알맞은 말 골라 쓰기

play a trick on	in secret	tell a lie	run away

01 It's easy to ____________ my sister. 내 여동생에게 장난을 치기 쉽다.

02 She was too honest to ____________. 그녀는 아주 정직해서 거짓말을 하지 못했다.

03 I missed a chance to ____________. 나는 달아날 기회를 놓쳤다.

04 The man left the town at night ____________. 그 남자는 밤에 몰래 마을을 떠났다.

go away
(떠나)가다

 leave

The bird went away last night.
새가 지난밤에 떠나갔다.

in many ways
여러 면에서

Trees help humans in many ways.
나무는 여러 면에서 인간을 돕는다.

do one's best
최선을 다하다

유의어 try one's best

She did her best in studying.
그녀는 공부에 최선을 다했다.

be filled with
~로 가득 차다

유의어 be full of

The drawer is filled with the socks.
서랍이 양말로 가득 차 있다.

어휘 기초 확인

Answers p. 9

A 영어는 우리말로, 우리말은 영어로 쓰기

01 do one's best

02 go away

03 in many ways

04 be filled with

05 (떠나)가다

06 최선을 다하다

07 ~로 가득 차다

08 여러 면에서

B 알맞은 말 넣어 문장 완성하기

01 Her eyes were ________ with tears of joy. 그녀의 눈은 기쁨의 눈물로 가득 찼다.

02 I did my ________ to win the game. 나는 경기에 이기기 위해 최선을 다했다.

03 She told the young man to ________ away. 그녀는 젊은 남자에게 떠나가라고 말했다.

04 All people are different in many ________. 모든 사람은 여러 면에서 다르다.

2주 4일 어휘 집중 연습

A 숙어와 우리말 뜻 연결하기

01 play a trick on •

02 in secret •

03 go away •

04 do one's best •

05 tell a lie •

06 be filled with •

• a. 최선을 다하다

• b. ~로 가득 차다

• c. 거짓말하다

• d. 몰래, 비밀리에

• e. (떠나)가다

• f. ~에게 장난을 치다

B 밑줄 친 부분에 유의하여 알맞은 말 고르기

01 그 소설은 여러 면에서 흥미로웠다.

➔ The novel was interesting (in secret / in many ways).

02 친구에게 장난을 쳐 본 적이 있니?

➔ Have you ever (played a trick on / been filled with) a friend?

03 우리는 Jason이 최선을 다하길 희망했다.

➔ We hoped for Jason to (do his best / go away).

04 도둑은 담을 기어 올라 달아났다.

➔ The thief climbed over the fence and (told a lie / ran away).

Answers p. 10

C 빈칸에 알맞은 철자를 넣어 문장 완성하기

01 그 소년은 다신 거짓말을 하지 않겠다고 약속했다.

➡ The boy promised not to t ___ ___ ___ a ___ ___ e again.

02 그 남자는 열흘 안에 떠나갈 것이다.

➡ The man will go ___ w ___ ___ within ten days.

03 작가는 그 책을 비밀리에 썼다.

➡ The writer wrote the book in ___ ___ c r ___ t.

04 병은 물로 가득 차 있었다.

➡ The bottles were f ___ ___ l ___ ___ with water.

2주

4일

2주 3~4일 누적 테스트 영어는 우리말로, 우리말은 영어로 쓰기

01	on sale		09	줄을 서다	
02	go away		10	거짓말하다	
03	for free		11	깨어나다, 깨우다	
04	play a trick on		12	최선을 다하다	
05	in secret		13	~을 놀리다	
06	have ~ in common		14	달아나다	
07	be filled with		15	여러 면에서	
08	help ~ with ...		16	찾아내다, 알아내다	

take a walk

산책하다

유의어 have a walk, go for a walk

He takes a walk once a day.
그는 하루에 한 번 산책한다.

get a grade

성적을 받다

I hope to get a good grade.
나는 좋은 성적을 받길 희망한다.

give up

포기하다

The player gave up the game.
선수는 경기를 포기했다.

watch out

조심하다, 주의하다

유의어 be careful, look out

Watch out for the banana peel!
바나나 껍질 조심해!

어휘 기초 확인

Answers p. 10

A 영어는 우리말로, 우리말은 영어로 쓰기

01 watch out

02 get a grade

03 take a walk

04 give up

05 산책하다

06 조심하다, 주의하다

07 포기하다

08 성적을 받다

2주 5일

B 알맞은 말 골라 쓰기

give up　watch out　take a walk　get a grade

01 He decided to ________ the plan. 그는 그 계획을 포기하기로 결심했다.

02 The student expected to ________ of A. 그 학생은 A 학점을 받기를 기대했다.

03 You need to ________ when you drive. 너는 운전할 때 주의해야 한다.

04 Why don't we ________ on the beach? 해변을 산책하는 게 어때?

keep one's promise

약속을 지키다 반의어 break one's promise 약속을 깨다

My dad always kept his promise to me.
아빠는 항상 내게 한 약속을 지키셨다.

all the time

항상, 언제나 유의어 always, every time

I leave the window open all the time.
나는 항상 창문을 열어놓는다.

care about

1 ~에 관심을 가지다 2 ~에 마음을 쓰다

She cares about the environment.
그녀는 환경에 관심을 가진다.

a few

조금, 소수

A few oranges are on the table.
테이블 위에 오렌지가 조금 있다.

어휘 기초 확인

Answers p. 10

A 영어는 우리말로, 우리말은 영어로 쓰기

01 all the time

02 keep one's promise

03 a few

04 care about

05 항상, 언제나

06 조금, 소수

07 ~에 관심을 가지다, ~에 마음을 쓰다

08 약속을 지키다

B 알맞은 말 넣어 문장 완성하기

01 She tried to ________ about her students. 그녀는 학생들에게 마음을 쓰려 노력했다.

02 He didn't ________ his ________ to visit us. 그는 우리를 방문한다는 약속을 지키지 않았다.

03 They're late for the meeting all the ________. 그들은 항상 회의에 늦는다.

04 There were a ________ houses with gardens. 정원이 있는 집이 조금 있었다.

2주 5일 어휘 집중 연습

A 숙어와 우리말 뜻 연결하기

01 get a grade •
02 care about •
03 take a walk •
04 a few •
05 give up •
06 keep one's promise •

• a. ~에 관심을 가지다, ~에 마음을 쓰다
• b. 성적을 받다
• c. 약속을 지키다
• d. 포기하다
• e. 조금, 소수
• f. 산책하다

B 밑줄 친 부분에 유의하여 알맞은 말 고르기

01 그들은 개를 조심해야 했다.

➔ They had to (watch out / take a walk) for the dog.

02 그녀는 피아노 배우는 것을 포기했다.

➔ She (gave up / kept her promise) learning the piano.

03 그녀는 항상 혼자 있곤 했다.

➔ She used to be alone (a few / all the time).

04 그는 자신의 건강에 관심을 갖지 않는다.

➔ He doesn't (care about / watch out) his own health.

Answers p. 10

C 빈칸에 알맞은 철자를 넣어 문장 완성하기

01 우리는 보통 점심 식사 후에 산책한다.

→ We usually [ ][ ][k][ ] a [w][ ][l][ ] after lunch.

02 나는 그녀에게 한 약속을 지키려 노력했다.

→ I tried to keep my [p][ ][o][ ][ ][s][ ] to her.

03 그는 더 좋은 성적을 받기 위해 열심히 공부했다.

→ He studied hard to [ ][e][ ] a better [g][ ][a][ ][ ].

04 기자는 오직 몇 사람만 인터뷰했다.

→ The reporter interviewed only a [f][ ][ ] people.

2주 5일

2주 4~5일 누적 테스트 영어는 우리말로, 우리말은 영어로 쓰기

01	care about		09	조금, 소수	
02	tell a lie		10	성적을 받다	
03	give up		11	~에게 장난을 치다	
04	run away		12	~로 가득 차다	
05	take a walk		13	약속을 지키다	
06	in many ways		14	몰래, 비밀리에	
07	all the time		15	(떠나)가다	
08	do one's best		16	조심하다, 주의하다	

특강 | Creative Visual Review 창의·융합·코딩

공부한 어휘와 관련된 이야기를 읽으며 뜻을 확인해 봅시다.

I want to learn how to ride a bike.
(나는 자전거 타는 법을 배우고 싶어.)

좋아! 내가 가르쳐 줄게.
그 전에 1817년 독일 드라이스 남작이 바퀴 두 개를 연결해 최초로 자전거를 만들었다는 것 아니? 이번 주에는 최초의 발명에 대해 알아보자.

신호등은 어디서 처음 사용되었을까?

Watch out for the horse!
(말을 조심해요!)

세계 최초의 신호등은 1868년 영국 런던에서 마차와 기차에 신호를 전달하기 위해 설치되었어요. 재미있는 것은 밤낮으로 사람이 직접 가스등으로 녹색과 붉은색을 조작해 신호를 주었다고 해요. 빛과 색깔로 신호를 전달한다는 점은 지금의 신호등과 비슷하지만, 최초의 신호등은 가스등이 폭발하는 등 안전성이 떨어졌어요.

샌드위치는 누가 처음 만들었을까?

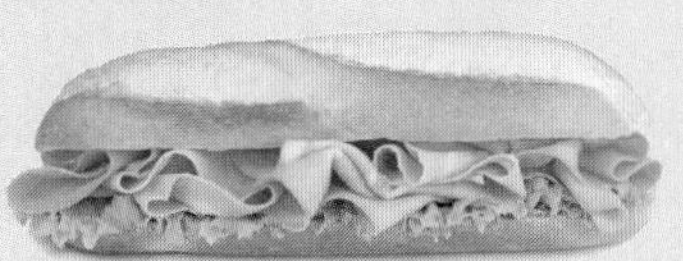

He plays games all the time. (그는 항상 게임을 해요.)

18세기 후반 영국의 귀족 존 몬태규 샌드위치 4세는 최초로 샌드위치를 만들었어요. 늘 카드놀이에 빠져 있던 샌드위치 백작은 놀이를 멈추지 않고 간편하게 식사를 하고 싶었어요. 그래서 빵 조각 사이에 햄을 넣어서 먹은 것이 바로 최초의 샌드위치였어요.

찍찍이는 어떻게 처음 발명되었을까?

He takes a walk with his dog every day. (그는 개와 함께 매일 산책해요.)

찍찍이는 스위스의 전기 기술자 조르주 드 메스트랄이 1941년 처음 고안했어요. 메스트랄은 개와 산책을 다녀온 후 개의 털에 붙어 잘 떨어지지 않는 우엉씨의 촘촘한 갈고리 모양에서 힌트를 얻었어요. 그는 테이프 양쪽에 각각 갈고리 모양과 갈고리가 들어갈 원형 모양을 넣어 찍찍이, 즉 벨크로를 발명했어요.

특강 | Creative Visual Review 창의·융합·코딩

A 그림에서 연상되는 숙어와 뜻을 찾아 써 봅시다.

1 

2 

3 

4 

5 

6 

a few	be surprised at	a long time ago
ride a bike	be filled with	play a trick on

~에게 장난을 치다	자전거를 타다	오래전에
~에 놀라다	조금, 소수	~로 가득 차다

Answers p. 11

B 우리말 뜻에 해당하는 숙어를 완성해 봅시다.

1 할인 중인, 판매 중인 — on □□□□ (1)

2 ~에게 안부를 전하다 — say □□□□□ to (2)

3 ~을 공통으로 갖고 있다 — have ~ in □□□□□□ (3)

4 공짜로, 무료로 — for □□□□ (4)

5 ~의 한가운데에 — in the □□□□□□ of

6 ~가 …하는 것을 돕다 — □□□□ ~ with ... (5)

7 ~에 관심을 가지다, ~에 마음을 쓰다 — care □□□□□ (6)

2주 특강

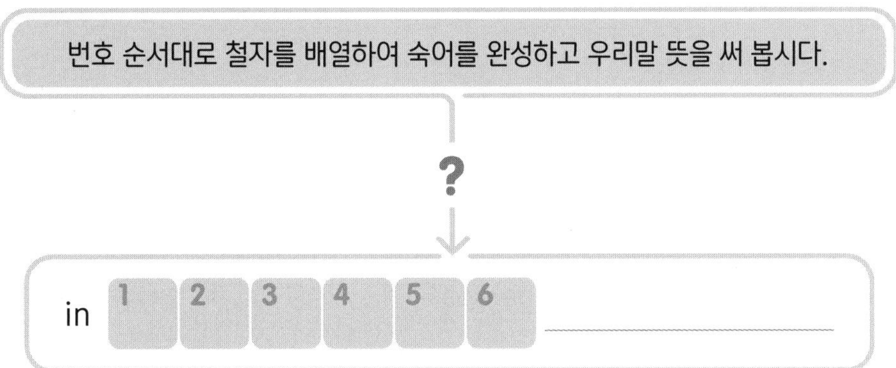

번호 순서대로 철자를 배열하여 숙어를 완성하고 우리말 뜻을 써 봅시다.
?
in 1 2 3 4 5 6

C 그림을 보고, 대화를 완성해 봅시다.

1

2

3

1 A: You need to ______ a good ______.

너는 좋은 성적을 받아야 해.

B: Don't worry. I'll ______ my ______.

걱정 마. 나는 최선을 다할 거야.

2 A: Why are you standing ______ ______?

너는 왜 줄을 서있니?

B: I'm waiting ______ the bus.

나는 버스를 기다리고 있어.

3 A: I won't ______ a ______ again.

저는 다신 거짓말을 하지 않을 거예요.

B: You should ______ your ______.

너는 약속을 지켜야 해.

Answers p. 11

D 크로스워드 퍼즐을 완성해 봅시다.

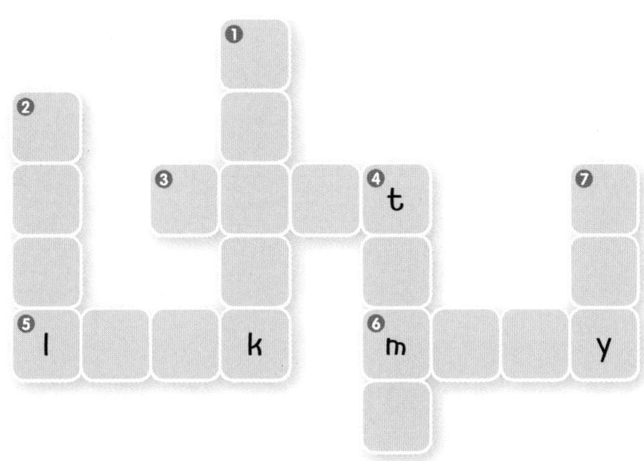

1 

_______ a habit

2 be filled with = be _______ of

4 She looks busy all the _______. 그녀는 항상 바빠 보인다.

7 give it a _______ 시도하다, 한번 해 보다

3 beside = _______ to

5 _______ around

6 in _______ ways 여러 면에서

누구나 100점 테스트

[01-02] 그림을 보고, 우리말 뜻에 해당하는 숙어를 완성해 봅시다.

01

시끄럽게 하다 : ____________ a noise

02

포기하다 : ____________ up

[03-05] 밑줄 친 숙어의 뜻으로 알맞은 것을 골라 봅시다.

03

The color doesn't <u>look good on</u> her.

a. ~에게 잘 어울리다　b. ~에 좋다　c. ~에게 장난을 치다　d. ~에 놀라다

04

Can you <u>find out</u> who sent this note?

a. 둘러보다　b. 찾아내다, 알아내다　c. ~을 기다리다　d. 포기하다

05

She didn't <u>grow up</u> in a big family.

a. 시도하다, 한번 해 보다　b. 조심하다, 주의하다　c. 약속을 지키다　d. 자라다, 성장하다

[06-07] 빈칸에 들어갈 알맞은 단어를 골라 봅시다.

06 She used to ____________ fun of my name. 그녀는 내 이름을 놀리곤 했다.

a. look b. be c. take d. make

2주

07 The thief climbed over the fence and ran ____________. 도둑은 담을 기어 올라 달아났다.

a. up b. away c. into d. down

[08-10] 그림을 보고, 알맞은 단어를 골라 문장을 다시 써 봅시다.

08 He (takes / makes) a walk once a day.

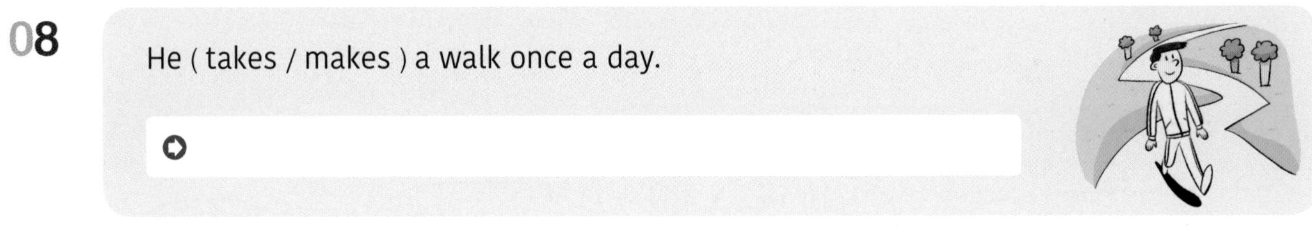

➡

09 The bird (went / past) away last night.

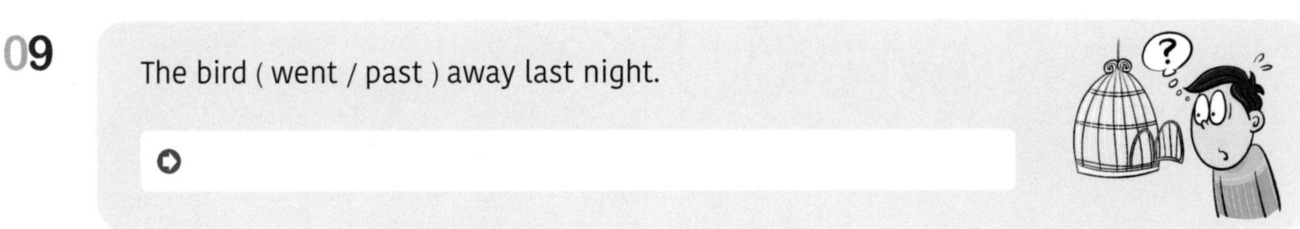

➡

10 She (read / checked) out cookbooks.

➡

3주 3주에는 무엇을 공부할까? 1

만화를 읽으며 숙어의 뜻을 추측해 봅시다.

01 at the same time ☐ 동시에 ☐ 반복해서

02 focus on ☐ ~에 들어가다 ☐ ~에 집중하다

03 plenty of ☐ 마침내 ☐ 많은

04 calm down ☐ 부탁하다 ☐ 진정시키다, 진정하다

Answers p. 12

05 show up ☐ 나타나다, 드러나다 ☐ 깨어 있다, 안 자다

06 pick up ☐ 꺼내다 ☐ 집다, 줍다

07 all over the world ☐ 사실 ☐ 전 세계(에)

08 for example ☐ 예를 들면 ☐ ~와 같은

3주 3주에는 무엇을 공부할까? ❷

❷-1 그림을 보고 연상되는 숙어를 골라 봅시다.

Answers p. 12

01

□ feel like　　□ in harmony with

02

□ walk along　　□ apply for

03

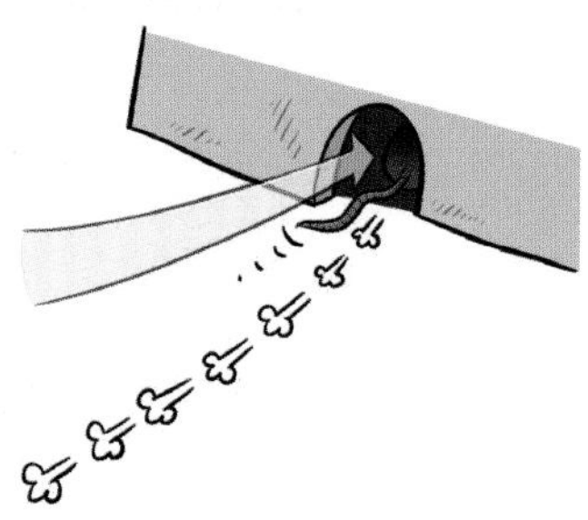

□ hand in　　□ get into

04

□ prepare for　　□ such as

05

□ plenty of　　□ in fact

06

□ name after　　□ look after

2-2 그림을 보고 연상되는 숙어를 찾아 써 봅시다.

Answers p. 12

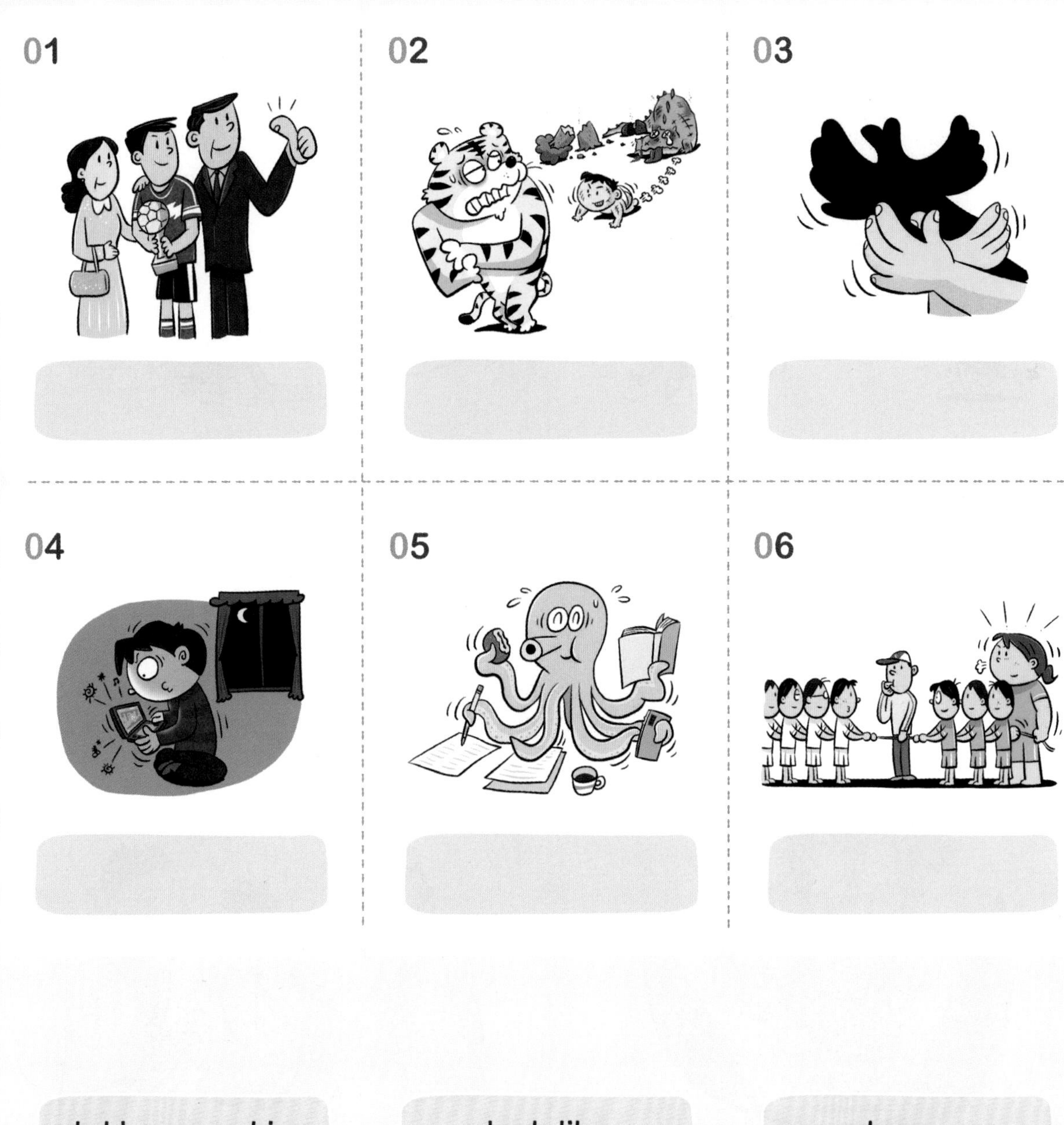

at the same time | look like | stay up

play a role | be proud of | be afraid of

3주

prepare for
~에 준비[대비]하다
유의어 be ready for

Let's prepare for the winter.
겨울에 대비하자.

at the same time
동시에

He does many things at the same time.
그는 동시에 많은 일을 한다.

come true
실현되다

My dream to be a dancer came true.
댄서가 되고 싶은 내 꿈이 실현되었다.

wish ~ good luck
~에게 행운을 기원하다

I wish you good luck.
나는 너의 행운을 기원한다.

어휘 기초 확인

Answers p. 12

A 영어는 우리말로, 우리말은 영어로 쓰기

01 prepare for

02 at the same time

03 come true

04 wish ~ good luck

05 실현되다

06 ~에게 행운을 기원하다

07 동시에

08 ~에 준비[대비]하다

B 알맞은 말 골라 쓰기

prepare for	come true	at the same time	wish

01 She wanted to ____________ him good luck. 그녀는 그에게 행운을 기원하고 싶었다.

02 All our dreams can ____________. 우리의 모든 꿈들은 실현될 수 있다.

03 They will ____________ the dinner. 그들은 저녁 식사를 준비할 것이다.

04 We looked at each other ____________. 우리는 동시에 서로를 봤다.

play a role

역할을 하다

유의어 play a part

She plays a big role in this game.
그녀는 이 경기에서 큰 역할을 한다.

ask a favor

부탁하다

반의어 do a favor 부탁을 들어주다

Can I ask a favor?
제가 부탁을 해도 될까요?

at last

마침내

유의어 finally, after all

At last we made it.
마침내 우리가 해냈다.

care for

1 ~을 보살피다 2 ~을 좋아하다

유의어 take care of, look after 돌보다

He always cares for animals.
그는 항상 동물들을 보살핀다.

I care for sweet things.
나는 단것을 좋아한다.

어휘 기초 확인

Answers p. 12

A 영어는 우리말로, 우리말은 영어로 쓰기

01 at last

02 play a role

03 care for

04 ask a favor

05 역할을 하다

06 부탁하다

07 마침내

08 ~을 보살피다, ~을 좋아하다

B 알맞은 말 넣어 문장 완성하기

01 I ____________ for hip-hop music. 나는 힙합을 좋아한다.

02 At ____________ he found the key. 마침내 그가 열쇠를 찾아냈다.

03 He asked a ____________ to leave the room. 그는 방을 떠나달라고 부탁했다.

04 She'll ____________ a main role in the play. 그녀는 연극에서 주연 역할을 할 것이다.

3주 1일 어휘 집중 연습

A 숙어와 우리말 뜻 연결하기

01 ask a favor • • a. 실현되다

02 play a role • • b. 역할을 하다

03 prepare for • • c. ~에 준비[대비]하다

04 come true • • d. 부탁하다

05 at last • • e. 마침내

06 at the same time • • f. 동시에

B 밑줄 친 부분에 유의하여 알맞은 말 고르기

01 그는 내게 <u>부탁을 했다</u>.

➔ He (asked a favor / cared for) of me.

02 나는 <u>동시에</u> 두 권의 책을 읽는다.

➔ I read two books (at the same time / at last).

03 우리는 경기에서 그들에게 <u>행운을 빈다</u>.

➔ We (prepare for / wish them good luck) in the game.

04 지도자는 결정을 하는 <u>역할을 한다</u>.

➔ The leader (comes true / plays a role) in making decisions.

Answers p. 12

C 빈칸에 알맞은 철자를 넣어 문장 완성하기

01 의사들은 아픈 사람을 보살핀다.

→ Doctors [ ][a][ ][ ] for sick people.

02 그는 마침내 마음을 바꿨다.

→ He changed his mind at [ ][a][ ][ ].

03 우리는 폭풍에 대비해야 한다.

→ We should [ ][r][ ][p][ ][ ][ ] for the storm.

04 만약 내 꿈이 실현된다면, 나는 행복할 것이다.

→ If my dream [ ][o][ ][ ][s] true, I will be happy.

3주 1일

3주 1일 누적 테스트 영어는 우리말로, 우리말은 영어로 쓰기

01	care for		09	~에 준비[대비]하다	
02	at last		10	부탁하다	
03	ask a favor		11	실현되다	
04	prepare for		12	역할을 하다	
05	at the same time		13	동시에	
06	come true		14	~에게 행운을 기원하다	
07	play a role		15	~을 보살피다, ~을 좋아하다	
08	wish ~ good luck		16	마침내	

go on

계속되다

유의어 continue

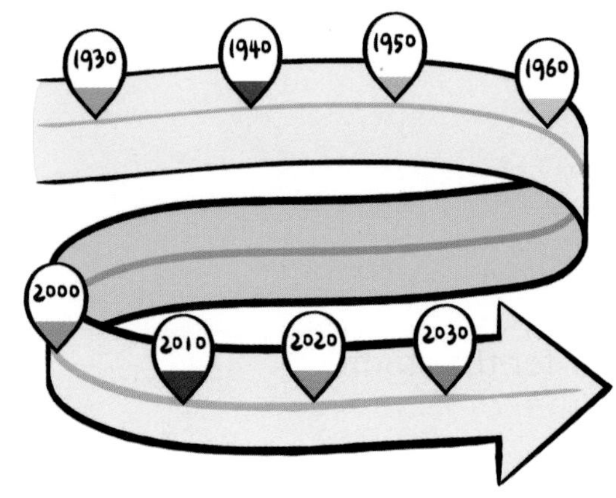

History goes on for a long time.

역사는 오랫동안 계속된다.

hand in

(과제물 등을) 제출하다

유의어 submit

비교 hand out 나누어 주다

I should hand in my homework on time.

나는 제때 숙제를 제출해야 한다.

stay up

깨어 있다, 안 자다

My brother stayed up late last night.

내 동생은 어젯밤 늦게까지 깨어 있었다.

focus on

~에 집중하다

유의어 concentrate on

The bear focused on honey.

그 곰은 꿀에 집중했다.

어휘 기초 확인

Answers p. 13

A 영어는 우리말로, 우리말은 영어로 쓰기

01 hand in

02 go on

03 focus on

04 stay up

05 ~에 집중하다

06 깨어 있다, 안 자다

07 계속되다

08 (과제물 등을) 제출하다

3주 2일

B 알맞은 말 골라 쓰기

hand in	stay up	focus on	go on

01 The experiment will ______________. 그 실험은 계속될 것이다.

02 The woman needs to ______________ her work. 그 여자는 자기 일에 집중해야 한다.

03 The students ______________ the reports. 학생들은 보고서를 제출한다.

04 I usually ______________ late on Fridays. 나는 보통 금요일에 늦게까지 깨어 있다.

such as

~와 같은

I like fruit, such as apples and melons.
나는 사과와 멜론과 같은 과일을 좋아한다.

sound like

[1]~처럼 들리다 [2]~인 것 같다

His voice sounds like thunder.
그의 목소리는 천둥소리처럼 들린다.

get into

~에 들어가다

The mouse gets into a small hole.
그 쥐는 작은 구멍에 들어간다.

plenty of

많은

유의어 a lot of, a great deal of

The fisherman caught plenty of fish.
어부는 많은 물고기를 잡았다.

어휘 기초 확인

Answers p. 13

A 영어는 우리말로, 우리말은 영어로 쓰기

01 sound like

02 plenty of

03 such as

04 get into

05 많은

06 ~와 같은

07 ~처럼 들리다, ~인 것 같다

08 ~에 들어가다

3주 2일

B 알맞은 말 넣어 문장 완성하기

01 Your ideas ______ like great plans. 네 생각은 아주 좋은 계획인 것 같다.

02 Did the man ______ into the building? 그 남자는 건물로 들어갔니?

03 Try to eat ______ of fresh vegetables. 신선한 채소를 많이 먹으려 노력해 보렴.

04 There are pets, ______ as dogs and cats. 개와 고양이와 같은 반려동물이 있다.

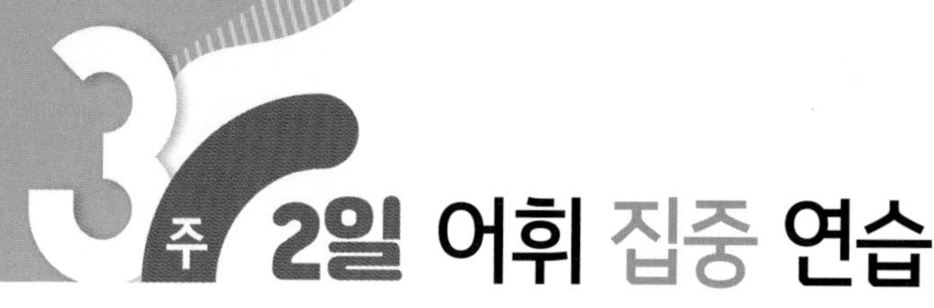

3주 2일 어휘 집중 연습

A 숙어와 우리말 뜻 연결하기

01 focus on •
02 plenty of •
03 go on •
04 get into •
05 sound like •
06 such as •

• a. ~와 같은
• b. 계속되다
• c. ~에 집중하다
• d. 많은
• e. ~에 들어가다
• f. ~처럼 들리다, ~인 것 같다

B 밑줄 친 부분에 유의하여 알맞은 말 고르기

01 패션 모델들은 카메라에 집중한다.

➔ The fashion models (focus on / sound like) the camera.

02 그에게 많은 시간이 있지 않다.

➔ He doesn't have (such as / plenty of) time.

03 실종된 아이를 찾는 것은 계속될 것이다.

➔ The search for the missing child will (go on / focus on).

04 나는 매우 빨리 집에 들어갔다.

➔ I (handed in / got into) the house very quickly.

Answers p. 13

C 빈칸에 알맞은 철자를 넣어 문장 완성하기

01 우리는 과제를 온라인으로 제출할 수 있다.

➔ We can [ ][ ][n][ ] in our papers online.

02 나는 장미나 튤립과 같은 화초를 기른다.

➔ I grow flowers, [ ][ ][ ][h] as roses and tulips.

03 그녀의 웃음은 음악처럼 들린다.

➔ Her laughter [ ][ ][u][ ][ ][s] like music.

04 밤늦게까지 깨어 있는 것은 좋지 않다.

➔ It's not good to [s][ ][ ][ ] up late at night.

3주 1~2일 누적 테스트 영어는 우리말로, 우리말은 영어로 쓰기

01	get into	
02	ask a favor	
03	at the same time	
04	wish ~ good luck	
05	focus on	
06	go on	
07	play a role	
08	stay up	
09	마침내	
10	실현되다	
11	많은	
12	~와 같은	
13	~처럼 들리다, ~인 것 같다	
14	(과제물 등을) 제출하다	
15	~을 보살피다, ~을 좋아하다	
16	~에 준비[대비]하다	

show up

나타나다, 드러나다

유의어 appear, turn up

The man showed up at the door.

그 남자는 문에 나타났다.

in fact

사실

In fact, she forgot everything.

사실 그녀는 모든 것을 잊었다.

be afraid of

~을 두려워하다

유의어 be scared of

The tiger is afraid of the baby.

그 호랑이는 아기를 두려워한다.

look like

~처럼 보이다

유의어 seem, appear

The shadow looks like a bird.

그 그림자는 새처럼 보인다.

어휘 기초 확인

Answers p. 13

A 영어는 우리말로, 우리말은 영어로 쓰기

01 in fact

02 look like

03 be afraid of

04 show up

05 ~을 두려워하다

06 사실

07 ~처럼 보이다

08 나타나다, 드러나다

3주 3일

B 알맞은 말 넣어 문장 완성하기

01 In ____________, I did well on the test. 사실 나는 시험을 잘 봤다.

02 He won't ____________ up today. 그는 오늘 나타나지 않을 것이다.

03 Don't be ____________ of new changes. 새로운 변화를 두려워하지 마라.

04 These trees ____________ like ghosts at night. 이 나무들은 밤에 유령처럼 보인다.

get on

~에 타다

반의어 get off ~에서 내리다

The kid gets on the train.

그 아이는 기차에 탄다.

take part in

~에 참가하다

유의어 attend, participate in

She takes part in the talent show.

그녀는 장기자랑에 참가한다.

set one's alarm

알람을 맞추다

Set your alarm to wake up early.

일찍 일어나기 위해 알람을 맞춰라.

feel like

~한 느낌이 들다

I feel like I'm walking on a cloud.

나는 구름 위를 걷는 느낌이 든다.

어휘 기초 확인

Answers p. 13

A 영어는 우리말로, 우리말은 영어로 쓰기

01 feel like

02 get on

03 take part in

04 set one's alarm

05 ~에 참가하다

06 ~한 느낌이 들다

07 알람을 맞추다

08 ~에 타다

3주 3일

B 알맞은 말 골라 쓰기

take part in	felt like	got on	set

01 We will ________ all events. 우리는 모든 행사에 참석할 것이다.

02 The fishermen ________ their ship. 어부들은 그들의 배에 탔다.

03 I ________ dancing to the song. 나는 그 음악에 맞춰 춤추고 싶은 느낌이 들었다.

04 He ________ his alarm but couldn't wake up. 그는 알람을 맞췄지만 일어나지 못했다.

3주 3일 어휘 집중 연습

A 숙어와 우리말 뜻 연결하기

01 in fact •
02 take part in •
03 show up •
04 look like •
05 be afraid of •
06 feel like •

• a. ~을 두려워하다
• b. 사실
• c. ~한 느낌이 들다
• d. ~에 참가하다
• e. 나타나다, 드러나다
• f. ~처럼 보이다

B 밑줄 친 부분에 유의하여 알맞은 말 고르기

01 그녀는 매일 아침에 버스를 탄다.

➜ She (gets on / looks like) the bus every morning.

02 나는 게임에서 질 것 같은 느낌이 들었다.

➜ I (am afraid of / feel like) I'm going to lose the game.

03 그는 회의에 늦게 나타났다.

➜ He (felt like / showed up) late at the meeting.

04 나는 지각하지 않기 위해서 알람을 맞췄다.

➜ I (set my alarm / took part in) not to be late for school.

○ Answers p. 14

C 빈칸에 알맞은 철자를 넣어 문장 완성하기

01 사실 그들은 James를 가족으로 생각한다.

➔ In f ☐☐☐, they think of James as family.

02 나는 뱀을 무서워한다.

➔ I'm ☐ f ☐☐ i ☐ of snakes.

03 그것은 재미있는 책처럼 보인다.

➔ It ☐ o ☐☐ s like an interesting book.

04 그의 꿈은 그 경주에 참가하는 것이다.

➔ His dream is to ☐☐☐ e part in the race.

3주 2~3일 누적 테스트 영어는 우리말로, 우리말은 영어로 쓰기

01	feel like	
02	be afraid of	
03	sound like	
04	plenty of	
05	take part in	
06	in fact	
07	look like	
08	get into	
09	깨어 있다, 안 자다	
10	~에 타다	
11	나타나다, 드러나다	
12	계속되다	
13	(과제물 등을) 제출하다	
14	~에 집중하다	
15	알람을 맞추다	
16	~와 같은	

over and over

반복해서 유의어 repeatedly, again and again

I watched the movie over and over.
나는 그 영화를 반복해서 봤다.

name after

~을 따라 이름 짓다

He was named after a famous artist.
그는 유명한 예술가를 따라 이름 지어졌다.

look after

~을 돌보다 유의어 take care of, care for
비교 look for ~을 찾다

I looked after plants in the garden.
나는 정원의 식물을 돌봤다.

walk along

~을 따라 걷다

The man walks along the beach.
그 남자는 해변을 따라 걷는다.

어휘 기초 확인

Answers p. 14

A 영어는 우리말로, 우리말은 영어로 쓰기

01 over and over

02 look after

03 walk along

04 name after

05 ~을 돌보다

06 ~을 따라 이름 짓다

07 ~을 따라 걷다

08 반복해서

B 알맞은 말 골라 쓰기

walked along	looked after	named after	over and over

01 She ______________ her niece so well. 그녀는 조카를 정말 잘 돌봤다.

02 I clicked the button ______________. 나는 버튼을 반복해서 눌렀다.

03 He and his dog ______________ the river. 그와 그의 개는 강을 따라 걸었다.

04 The hotel was ______________ a famous city. 그 호텔은 유명한 도시 이름을 따서 지어졌다.

calm down
진정시키다, 진정하다

유의어 relax

She tried to calm down.
그녀는 진정하려고 했다.

for example
예를 들면

유의어 for instance

For example, he can speak English and Chinese.
예를 들면, 그는 영어와 중국어를 말할 수 있다.

a lot of
많은

유의어 plenty of, a great deal of

There are a lot of pineapples.
많은 파인애플이 있다.

take out
[1]꺼내다 [2](음식을) 포장해 가다

I took out some money from the ATM.
나는 현금 인출기에서 돈을 꺼냈다.

어휘 기초 확인

Answers p. 14

A 영어는 우리말로, 우리말은 영어로 쓰기

01 for example

02 take out

03 a lot of

04 calm down

05 많은

06 진정시키다, 진정하다

07 예를 들면

08 꺼내다, (음식을) 포장해 가다

3 주 4일

B 알맞은 말 골라 쓰기

a lot of	calm down	for example	take out

01 If you ________, you can understand it. 네가 진정하면, 그것을 이해할 수 있다.

02 We saw ________ bees on the tree. 우리는 나무에 있는 많은 벌들을 봤다.

03 He ordered some food to ________. 그는 포장해 갈 음식을 주문했다.

04 Canada, ________, has two languages. 예를 들면, 캐나다는 두 개의 언어를 쓴다.

3주 4일 어휘 집중 연습

A 숙어와 우리말 뜻 연결하기

01 look after •
02 calm down •
03 walk along •
04 for example •
05 name after •
06 over and over •

• a. 진정시키다, 진정하다
• b. ~을 돌보다
• c. 반복해서
• d. ~을 따라 이름 짓다
• e. ~을 따라 걷다
• f. 예를 들면

B 밑줄 친 부분에 유의하여 알맞은 말 고르기

01 그녀는 많은 커피를 마셨다.

➜ She drank (for example / a lot of) coffee.

02 그 개는 인도를 따라 걷는다.

➜ The dog (walks along / names after) the sidewalk.

03 저를 위해 책을 꺼내주시겠어요?

➜ Would you (name after / take out) the book for me?

04 나는 부모님이 안 계실 때 남동생을 돌봤다.

➜ I (looked after / calmed down) my brother while my parents were away.

Answers p. 14

C 빈칸에 알맞은 철자를 넣어 문장 완성하기

01 그는 같은 말을 반복해서 말했다.

➔ He said the same words [ ][ ][e][ ] and over.

02 음악은 네가 진정하는 것을 돕는다.

➔ The music helps you [ ][ ][l][ ] down.

03 예를 들면, 멕시코에는 지진이 많이 발생한다.

➔ For [e][ ][ ][ ][ ][ ][ ], Mexico has a lot of earthquakes.

04 나의 부모님은 그 배우의 이름을 따라 내 이름을 지으셨다.

➔ My parents [ ][ ][m][ ][d] me after the actor.

3주 4일

3주 3~4일 누적 테스트 영어는 우리말로, 우리말은 영어로 쓰기

01	take part in		09	많은	
02	take out		10	~을 돌보다	
03	walk along		11	사실	
04	be afraid of		12	~처럼 보이다	
05	for example		13	반복해서	
06	calm down		14	~을 따라 이름 짓다	
07	show up		15	~한 느낌이 들다	
08	get on		16	알람을 맞추다	

be proud of
~을 자랑스럽게 여기다

My parents are proud of me.
우리 부모님은 나를 자랑스럽게 여기신다.

pick up
집다, 줍다

He picked up the pen to write a book.
그는 책을 쓰기 위해 펜을 집었다.

look forward to
~을 기대하다

They look forward to summer vacation.
그들은 여름 방학을 기대한다.

in harmony with
~와 조화를 이루어

We live in harmony with each other.
우리는 서로 조화를 이루며 산다.

어휘 기초 확인

Answers p. 15

A 영어는 우리말로, 우리말은 영어로 쓰기

01 be proud of

02 in harmony with

03 look forward to

04 pick up

05 ~을 기대하다

06 집다, 줍다

07 ~와 조화를 이루어

08 ~을 자랑스럽게 여기다

B 알맞은 말 넣어 문장 완성하기

01 I look ______ to meeting you tomorrow. 나는 내일 너를 만나는 것을 기대한다.

02 He bent down to ______ up the newspaper. 그는 신문을 줍기 위해 몸을 굽혔다.

03 The man was ______ of his record. 그 남자는 자신의 기록을 자랑스럽게 여겼다.

04 Her voice is in ______ with others. 그녀의 목소리는 다른 이들과 조화를 이룬다.

be ready for

~할 준비가 되다

유의어 prepare for

I am ready for school.

나는 학교에 갈 준비가 됐다.

all over the world

전 세계(에)

유의어 around the world

I want to travel all over the world.

나는 전 세계를 여행하고 싶다.

be crowded with

~으로 붐비다

The museum is crowded with visitors.

그 박물관은 방문객들로 붐빈다.

apply for

1 ~에 지원하다 2 ~을 신청하다

He applied for volunteer work.

그는 자원봉사 활동에 지원했다.

어휘 기초 확인

Answers p. 15

A 영어는 우리말로, 우리말은 영어로 쓰기

01 be ready for

02 be crowded with

03 all over the world

04 apply for

05 전 세계(에)

06 ~으로 붐비다

07 ~할 준비가 되다

08 ~에 지원하다, ~을 신청하다

3주 5일

B 알맞은 말 골라 쓰기

applied for	be crowded with	all over the world	be ready for

01 I ______________ a visa last month. 나는 지난달에 비자를 신청했다.

02 The baby will ______________ bed. 아기는 잘 준비가 될 것이다.

03 The park would ______________ children. 공원은 아이들로 붐비곤 했다.

04 English is spoken ______________. 영어는 전 세계에서 사용된다.

3주 5일 어휘 집중 연습

A 숙어와 우리말 뜻 연결하기

01 apply for •

02 be crowded with •

03 be ready for •

04 look forward to •

05 be proud of •

06 in harmony with •

• a. ~으로 붐비다

• b. ~을 기대하다

• c. ~와 조화를 이루어

• d. ~을 자랑스럽게 여기다

• e. ~할 준비가 되다

• f. ~에 지원하다, ~을 신청하다

B 밑줄 친 부분에 유의하여 알맞은 말 고르기

01 우리는 시카고로 여행 갈 준비가 되었다.

➔ We (were ready for / were crowded with) the trip to Chicago.

02 그녀는 새로운 일에 지원했다.

➔ She (applied for / picked up) a new job.

03 이 그림은 방과 조화를 이룬다.

➔ This painting is (proud of / in harmony with) the room.

04 Kevin은 집에 혼자 있는 것을 기대한다.

➔ Kevin (looks forward to / applies for) being home alone.

Answers p. 15

C 빈칸에 알맞은 철자를 넣어 문장 완성하기

01 그는 스스로를 자랑스럽게 여겼다.

→ He was [ ][ ][ ][ ][d] of himself.

02 그 아이들은 쓰레기를 집어 들지 않았다.

→ The kids didn't [p][ ][ ][ ] up the trash.

03 사람들이 전 세계에서 왔다.

→ People came from all over the [w][ ][ ][ ][ ].

04 그 길은 차로 붐볐다.

→ The road was [c][ ][ ][ ][d][ ][ ] with cars.

3주 5일

3주 4~5일 누적 테스트 영어는 우리말로, 우리말은 영어로 쓰기

01	name after		09	집다, 줍다	
02	be ready for		10	~을 따라 걷다	
03	be crowded with		11	예를 들면	
04	apply for		12	~와 조화를 이루어	
05	over and over		13	꺼내다, (음식을) 포장해 가다	
06	all over the world		14	~을 기대하다	
07	a lot of		15	진정시키다, 진정하다	
08	look after		16	~을 자랑스럽게 여기다	

특강 | Creative Visual Review 창의·융합·코딩

공부한 어휘와 관련된 이야기를 읽으며 뜻을 확인해 봅시다.

wish ~ good luck이라는 말 외에 행운을 비는 다른 영어 표현도 있어?

그럼! 우리 행운을 비는 표현이나 상징에 대해 알아 보자.

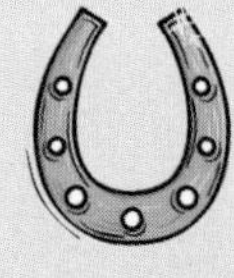    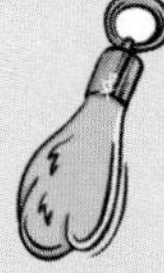  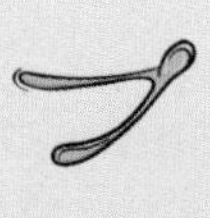

There are many lucky items, such as a four-leaf clover, a rabbit's foot, and a horseshoe.
(네잎클로버, 토끼 발, 말편자와 같은 많은 행운의 물건들이 있어요.)

세계 여러 나라에는 행운을 기원하는 다양한 물건들이 있어요. 그 중 토끼 발은 고대 켈트족의 미신에서 유래되었다고 해요. 토끼가 다산과 생명을 상징하는 동물이었기 때문에 토끼의 발을 행운의 상징으로 여겼어요. 요즘은 토끼 발 모양의 장식품을 가지고 다니는 것이니 너무 놀라지 마세요.

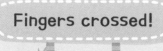

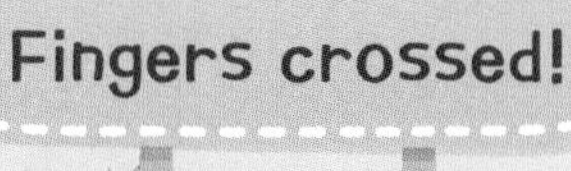
Fingers crossed!

I feel like you will win this game. I'll keep my fingers crossed.

(나는 당신이 이 경기에서 이길 것 같아요. 행운을 빌어요.)

서구에서는 누군가에게 행운을 빌어줄 때 검지와 중지로 십자 모양을 만들어 어깨 높이로 올려 상대에게 보여 줘요. 악과 불운을 없애고 행운을 빌어준다는 의미예요. 재미있는 건 사람들이 선의의 거짓말을 할 때 속죄의 의미로 등 뒤에서 같은 손가락 모양을 만들기도 해요.

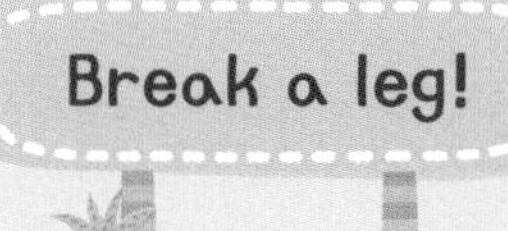
Break a leg!

Break a leg! Make your dreams come true.

(행운을 빌어요! 당신의 꿈을 이뤄요.)

Beak a leg!를 문자 그대로 해석하면 '다리를 부러트려!'라는 말로 무시무시하지만, 실제로는 '행운을 빌어!'라는 좋은 의미로 쓰여요. 보통 배우나 음악가들이 무대에 오르기 전에 응원이나 격려할 때 많이 사용해요. 이 표현은 여러 가지 유래가 있지만, 그 중 하나는 행운을 비는 것 자체가 불행을 부를 수 있기 때문에 이렇게 반대로 말한 것이 퍼지게 되었다고 해요.

특강 | Creative Visual Review 창의·융합·코딩

A 그림에서 연상되는 숙어와 뜻을 찾아 써 봅시다.

1
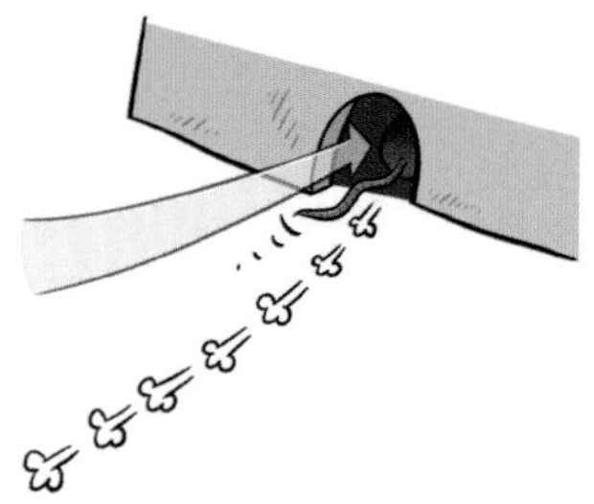

2

3

4

5

6

feel like	calm down	get into
sound like	take part in	over and over

반복해서	~처럼 들리다, ~인 것 같다	진정시키다, 진정하다
~한 느낌이 들다	~에 들어가다	~에 참가하다

○ Answers p. 16

B 우리말 뜻에 해당하는 숙어를 완성해 봅시다.

1 ~할 준비가 되다 be ☐☐☐(1)☐☐ for

2 꺼내다, (음식을) 포장해 가다 ☐(2)☐☐☐ out

3 역할을 하다 play a ☐☐☐☐

4 알람을 맞추다 ☐(3)☐☐ one's alarm

5 ~을 돌보다 look ☐(4)☐☐☐☐

6 실현되다 ☐☐☐(5)☐ true

7 ~처럼 보이다 look ☐☐☐☐(6)

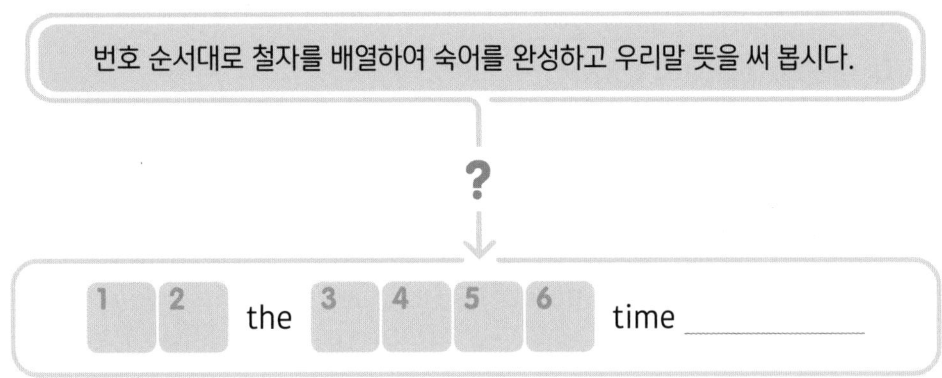

번호 순서대로 철자를 배열하여 숙어를 완성하고 우리말 뜻을 써 봅시다.
?
1 2 the 3 4 5 6 time ____________

3주 특강

C 그림을 보고, 대화를 완성해 봅시다.

1

2

3

1 A: You really [ ] for plants.

너는 정말 식물을 좋아하는구나.

B: Yes, I like to live in [ ] with nature.

응, 나는 자연과 조화를 이루어 살고 싶어.

2 A: There are a [ ] of people in here.

여기에 사람들이 많네.

B: Yes. I want to get out of here.

응. 나는 여기에서 나가고 싶어.

3 A: Did you [ ] [ ] the singing contest?

너는 노래 경연 대회에 신청했었니?

B: In [ ], I won first prize in the contest.

사실 내가 대회에서 일등을 했어.

Answers p. 16

D 크로스워드 퍼즐을 완성해 봅시다.

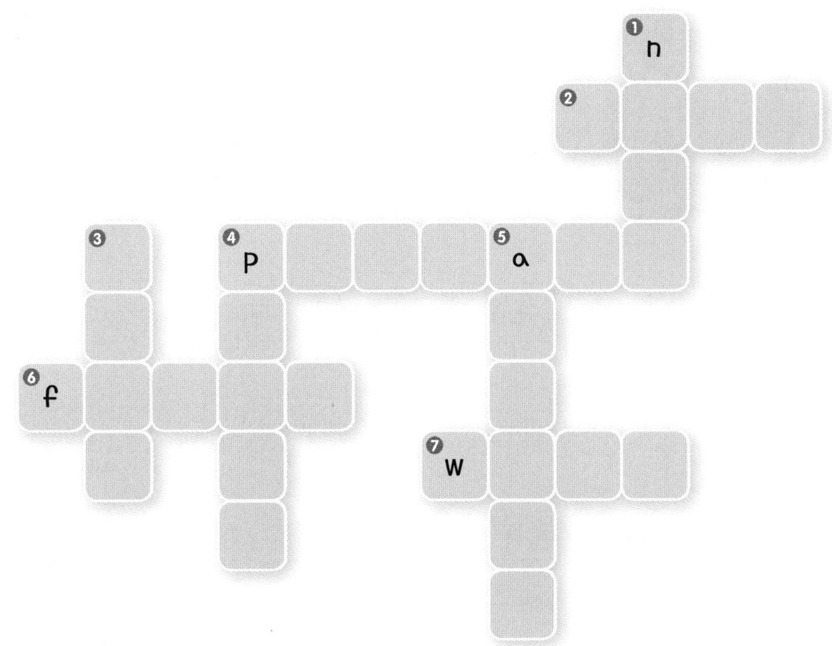

1. __________ after ~을 따라 이름 짓다
3. __________ up late 늦게까지 깨어 있다
4. We're __________ of our culture. 우리는 우리 문화를 자랑스럽게 여긴다.
5. She is __________ of small spaces. 그녀는 좁은 공간을 두려워한다.

Across

2. __________ in (과제물 등을) 제출하다
4. be ready for = __________ for
6. ask a __________ 부탁하다
7. I __________ along the street. 나는 길을 따라 걷는다.

3주 특강

누구나 100점 테스트

[01-02] 그림을 보고, 우리말 뜻에 해당하는 숙어를 완성해 봅시다.

01

나타나다, 드러나다 : ______________ up

02

깨어 있다, 안 자다 : ______________ up

[03-05] 밑줄 친 숙어의 뜻으로 알맞은 것을 골라 봅시다.

03

The fashion models <u>focus on</u> the camera.

a. ~을 돌보다　　b. ~을 따라 걷다　　c. ~에 집중하다　　d. ~을 기대하다

04

The music helps you <u>calm down</u>.

a. ~한 느낌이 들다　　b. 진정시키다, 진정하다　　c. ~을 두려워하다　　d. 실현되다

05

I read two books <u>at the same time</u>.

a. 동시에　　b. 마침내　　c. 반복해서　　d. 많은

Answers p. 16

[06-07] 빈칸에 들어갈 알맞은 단어를 골라 봅시다.

06 The road was ______________ with cars. 그 길은 차로 붐볐다.

a. afraid b. crowded c. harmony d. handed

07 Kevin ______________ being home alone. Kevin은 집에 혼자 있는 것을 기대한다.

a. goes on b. gets into c. looks forward to d. shows up

3주

[08-10] 그림을 보고, 알맞은 단어를 골라 문장을 다시 써 봅시다.

08 The tiger is (afraid / proud) of the baby.

➡

09 His voice (sounds / looks) like thunder.

➡

10 She (cares / plays) a big role in this game.

➡

4주 4주에는 무엇을 공부할까? 1

만화를 읽으며 숙어의 뜻을 추측해 봅시다.

01 lay an egg ☐ ~로 유명하다 ☐ 알을 낳다

02 set the table ☐ 상을 차리다 ☐ 설거지하다

03 take a look ☐ ~을 보다 ☐ 합치다

04 upside down ☐ ~와 다르다 ☐ 거꾸로

Answers p. 17

05 throw a party ☐ 쉬다 ☐ 파티를 열다

06 drop by ☐ 반드시 ~하다 ☐ ~에 들르다

07 make a mistake ☐ 실수하다 ☐ ~이 바닥나다, ~을 다 써버리다

08 first of all ☐ 혼자서, 혼자 힘으로 ☐ 우선, 무엇보다도

4주 4주에는 무엇을 공부할까? ❷

❷-1 그림을 보고 연상되는 숙어를 골라 봅시다.

Answers p. 17

01

☐ pay for ☐ make a mistake

02

☐ come together ☐ set the table

03

☐ blow one's nose ☐ drop by

04

☐ cut one's finger ☐ across from

05

☐ upside down ☐ deal with

06

☐ instead of ☐ in public

2-2. 그림을 보고 연상되는 숙어를 찾아 써 봅시다.

Answers p. 17

01

02

03

04

05

06

run out of	cut ~ into pieces	take a break
be famous for	be covered with	be over

be different from

~와 다르다 반의어 be similar to ~와 비슷하다

My cats are different from each other.
내 고양이들은 서로 다르다.

cut one's finger

손가락을 베다

I cut my finger with paper.
나는 종이에 손을 베였다.

blow one's nose

코를 풀다

I had to blow my nose all day.
나는 하루 종일 코를 풀어야 했다.

be sure to

반드시 ~하다

Be sure to turn off the light.
반드시 불을 꺼라.

어휘 기초 확인

Answers p. 17

A 영어는 우리말로, 우리말은 영어로 쓰기

01 cut one's finger

02 be different from

03 blow one's nose

04 be sure to

05 ~와 다르다

06 코를 풀다

07 손가락을 베다

08 반드시 ~하다

B 알맞은 말 넣어 문장 완성하기

01 When I ______ my nose, my ears hurt. 나는 코를 풀 때, 귀가 아프다.

02 His cellphone is ______ from mine. 그의 휴대전화는 내 것과 다르다.

03 Yesterday she ______ her finger badly. 어제 그녀는 손가락이 심하게 베였다.

04 Please be ______ to call me at 3. 3시에 제게 반드시 전화해 주세요.

set the table

상을 차리다

They are setting the table for dinner.
그들은 저녁상을 차리고 있다.

do the dishes

설거지하다

유의어 wash the dishes

They do the dishes after dinner.
그들은 저녁을 먹고 설거지를 한다.

take a break

잠깐 쉬다

유의어 get some rest 쉬다

I will take a break for a while.
나는 잠시 쉴 것이다.

instead of

~ 대신에

I drink milk instead of juice.
나는 주스 대신에 우유를 마신다.

어휘 기초 확인

Answers p. 17

A 영어는 우리말로, 우리말은 영어로 쓰기

01 instead of

02 take a break

03 set the table

04 do the dishes

05 잠깐 쉬다

06 설거지하다

07 ~ 대신에

08 상을 차리다

4주 1일

B 알맞은 말 골라 쓰기

set the table	do the dishes	instead of	take a break

01 Let me __________ for you. 내가 널 위해 설거지를 할게.

02 Why don't we __________ now? 우리 지금 잠깐 쉬는 게 어때?

03 She __________ and started eating. 그녀는 상을 차리고 먹기 시작했다.

04 He ordered pizza __________ pasta. 그는 파스타 대신에 피자를 주문했다.

4주 1일 어휘 집중 연습

A 숙어와 우리말 뜻 연결하기

01 take a break •

02 be different from •

03 set the table •

04 instead of •

05 do the dishes •

06 cut one's finger •

• a. 상을 차리다

• b. ~와 다르다

• c. 손가락을 베다

• d. 잠깐 쉬다

• e. 설거지하다

• f. ~ 대신에

B 밑줄 친 부분에 유의하여 알맞은 말 고르기

01 나는 그가 상을 차리는 것을 도왔다.

➔ I helped him (set the table / do the dishes).

02 내 새로운 직업은 이전과 다르다.

➔ My new job (is different from / is sure to) the last one.

03 그는 감기 때문에 자주 코를 풀었다.

➔ He often (blew his nose / took a break) because of a cold.

04 나는 지하철 대신에 버스를 탔다.

➔ I took the bus (instead of / sure to) the subway.

Answers p. 17

C 빈칸에 알맞은 철자를 넣어 문장 완성하기

01 그는 내게 설거지를 해달라고 부탁했다.

➔ He asked me to do the [ ][ ][s][h][ ][ ].

02 그 신인 배우는 반드시 인기를 얻을 것이다.

➔ The new actor will be [s][ ][ ][ ] to be popular.

03 그녀는 나무 아래에서 잠깐 쉬었다.

➔ She took a [ ][ ][e][ ][k] under the tree.

04 손가락을 베지 않도록 조심해라.

➔ Be careful not to cut your [ ][ ][n][ ][e][ ].

4주

1일

4주 1일 누적 테스트 영어는 우리말로, 우리말은 영어로 쓰기

01	take a break		09	코를 풀다	
02	do the dishes		10	잠깐 쉬다	
03	instead of		11	~ 대신에	
04	be sure to		12	~와 다르다	
05	be different from		13	반드시 ~하다	
06	blow one's nose		14	손가락을 베다	
07	set the table		15	설거지하다	
08	cut one's finger		16	상을 차리다	

not ~ anymore

더 이상 ~ 않다

I'm not a kid anymore.
나는 더 이상 아이가 아니다.

be over

끝나다

유의어 end, finish

The show was over very soon.
공연은 금방 끝났다.

in public

사람들 앞에서, 공개적으로

반의어 in private 다른 사람이 없는 데서

He began to sing in public.
그는 사람들 앞에서 노래하기 시작했다.

take a look at

~을 보다

유의어 look at

Would you take a look at this picture?
이 사진을 보시겠어요?

어휘 기초 확인

Answers p. 18

A 영어는 우리말로, 우리말은 영어로 쓰기

01 be over

02 not ~ anymore

03 take a look at

04 in public

05 ~을 보다

06 끝나다

07 더 이상 ~ 않다

08 사람들 앞에서, 공개적으로

4주 2일

B 알맞은 말 골라 쓰기

anymore	in public	was over	take a look at

01 Let's ______ this report together. 이 보고서를 같이 봐 보자.

02 The terrible war ______ at last. 그 끔찍한 전쟁이 마침내 끝났다.

03 The boy won't cause problems ______. 그 소년은 더 이상 문제를 일으키지 않을 것이다.

04 She knows how to speak ______. 그녀는 사람들 앞에서 연설하는 방법을 안다.

once in a while
가끔, 때로는

유의어 sometimes

I work out once in a while.
나는 가끔 운동을 한다.

lay an egg
알을 낳다

A hen lays an egg every morning.
암탉은 매일 아침에 알을 낳는다.

come together
합치다

Pieces of a puzzle come together.
퍼즐 조각이 합쳐지다.

one another
서로

유의어 each other

We greet one another.
우리는 서로 인사한다.

어휘 기초 확인

Answers p. 18

A 영어는 우리말로, 우리말은 영어로 쓰기

01 lay an egg

02 one another

03 once in a while

04 come together

05 합치다

06 서로

07 가끔, 때로는

08 알을 낳다

4주 2일

B 알맞은 말 넣어 문장 완성하기

01 Neighbors helped one ________ in many ways. 이웃들은 다양한 방법으로 서로 도왔다.

02 I keep a diary once in a ________. 나는 가끔 일기를 쓴다.

03 Turtles ________ eggs at night. 거북은 밤에 알을 낳는다.

04 The family will come ________ next week. 그 가족은 다음 주에 모일 것이다.

4주 2일 어휘 집중 연습

A 숙어와 우리말 뜻 연결하기

01 take a look at • • a. 끝나다

02 be over • • b. 합치다

03 one another • • c. 서로

04 come together • • d. ~을 보다

05 in public • • e. 사람들 앞에서, 공개적으로

06 lay an egg • • f. 알을 낳다

B 밑줄 친 부분에 유의하여 알맞은 말 고르기

01 날씨가 더 이상 춥지 않다.

➔ The weather is not cold (anymore / one another).

02 그 작가는 자주 사람들 앞에 모습을 보인다.

➔ The writer often appears (once in a while / in public).

03 나는 가끔 미술관을 방문한다.

➔ I visit the art museum (come together / once in a while).

04 우리는 목표를 이루기 위해 모였다.

➔ We (took a look / came together) to achieve our goals.

Answers p. 18

C 빈칸에 알맞은 철자를 넣어 문장 완성하기

01 그 영화가 끝날 때까지 아무도 나가지 않았다.

→ No one left until the movie was [ ][v][ ][ ].

02 새가 알을 낳기 위해 둥지를 지었다.

→ The bird built a nest to [l][ ][y] its eggs.

03 아이들은 서로를 놀렸다.

→ The kids made fun of one [a][ ][ ][t][ ][ ][r].

04 사람들은 그 오래된 지도를 보러 왔다.

→ People came to [t][ ][ ][ ] a look at the old map.

4주 2일

4주 1~2일 누적 테스트 영어는 우리말로, 우리말은 영어로 쓰기

01	one another		09	알을 낳다	
02	instead of		10	사람들 앞에서, 공개적으로	
03	set the table		11	반드시 ~하다	
04	be over		12	더 이상 ~ 않다	
05	come together		13	코를 풀다	
06	take a look at		14	잠깐 쉬다	
07	be different from		15	손가락을 베다	
08	once in a while		16	설거지하다	

keep -ing

계속 ~하다

유의어 continue -ing

The boy just keeps jumping.

그 소년은 그저 계속 뛴다.

drop by

~에 들르다

유의어 stop by, come by

I dropped by my friend's house.

나는 친구 집에 들렀다.

on one's own

혼자서, 혼자 힘으로

유의어 alone, by oneself

A beaver built the dam on its own.

비버는 혼자 힘으로 댐을 지었다.

have ~ in mind

~을 염두에 두다

유의어 keep ~ in mind

She has someone in mind for the job.

그녀는 그 일에 누군가를 염두에 두고 있다.

어휘 기초 확인

Answers p. 18

A 영어는 우리말로, 우리말은 영어로 쓰기

01 drop by

02 keep -ing

03 on one's own

04 have ~ in mind

05 계속 ~하다

06 혼자서, 혼자 힘으로

07 ~에 들르다

08 ~을 염두에 두다

4주 3일

B 알맞은 말 넣어 문장 완성하기

01 She invented it on her ________. 그녀는 혼자서 그것을 발명했다.

02 It'll ________ snowing all day and night. 밤낮없이 계속 눈이 내릴 것이다.

03 I'm going to ________ by the library after school. 나는 방과 후에 도서관에 들를 것이다.

04 Do you have any place in ________ to stay? 염두에 둔 지낼 곳이 있니?

be busy -ing

~하느라 바쁘다

비교 be busy with ~로 바쁘다

He was busy talking on the phone.

그는 통화하느라 바빴다.

first of all

우선, 무엇보다도

유의어 above all, most of all 무엇보다도

First of all, take off your coat.

우선, 코트를 벗어라.

stand for

~을 나타내다[의미하다]

유의어 represent

N.Y. stands for New York.

N.Y.는 뉴욕을 나타낸다.

across from

~의 건너편에

The hospital is across from the gym.

병원은 체육관의 건너편에 있다.

어휘 기초 확인

Answers p. 18

A 영어는 우리말로, 우리말은 영어로 쓰기

01 across from

02 stand for

03 first of all

04 be busy -ing

05 우선, 무엇보다도

06 ~하느라 바쁘다

07 ~의 건너편에

08 ~을 나타내다[의미하다]

4주 3일

B 알맞은 말 골라 쓰기

across from	are busy making	first of all	stand for

01 Red roses ____________ true love. 빨간 장미는 진실된 사랑을 의미한다.

02 He was sitting ____________ me. 그는 내 건너편에 앉아 있었다.

03 ____________, we should wash our hands. 우선, 우리는 손을 씻어야 한다.

04 The bees ____________ the beehive. 벌들은 벌집을 짓느라 바쁘다.

4주 3일 어휘 집중 연습

A 숙어와 우리말 뜻 연결하기

01 drop by •
02 be busy -ing •
03 first of all •
04 across from •
05 stand for •
06 on one's own •

• a. ~에 들르다
• b. 혼자서, 혼자 힘으로
• c. ~하느라 바쁘다
• d. ~을 나타내다[의미하다]
• e. ~의 건너편에
• f. 우선, 무엇보다도

B 밑줄 친 부분에 유의하여 알맞은 말 고르기

01 무엇보다도, 우리는 좀 쉬기를 원한다.

➔ (On my own / First of all), we want some rest.

02 월요일에 우리 집에 들를 수 있니?

➔ Can you (drop by / stand for) my house on Monday?

03 그녀는 은행 건너편에 있는 식당을 소유하고 있다.

➔ She owns the restaurant (across from / drop by) the bank.

04 그 시에서 달빛은 사랑을 의미한다.

➔ The moonlight (has in mind / stands for) love in the poem.

Answers p. 19

C 빈칸에 알맞은 철자를 넣어 문장 완성하기

01 그는 계속 같은 실수를 하는 경향이 있다.

➔ He tends to k_ _ _ making the same mistake.

02 너는 혼자 힘으로 모든 것을 해결할 수 있다.

➔ You can solve everything on your _ w _.

03 그녀는 저녁 식사로 염두에 둔 것이 없다.

➔ She has nothing in m_ _ _ for dinner.

04 나는 컴퓨터 게임을 하느라 바빴다.

➔ I was _ _ _ y playing the computer game.

4주 3일

4주 2~3일 누적 테스트 영어는 우리말로, 우리말은 영어로 쓰기

01	in public	
02	not ~ anymore	
03	be over	
04	stand for	
05	drop by	
06	have ~ in mind	
07	lay an egg	
08	one another	
09	~을 보다	
10	가끔, 때로는	
11	~의 건너편에	
12	~하느라 바쁘다	
13	계속 ~하다	
14	혼자서, 혼자 힘으로	
15	우선, 무엇보다도	
16	합치다	

be covered with

~로 덮여 있다

The mountain is covered with snow.

그 산은 눈으로 덮여 있다.

from now on

지금부터는

From now on, I will not eat junk food.

지금부터 나는 정크 푸드를 먹지 않을 것이다.

be famous for

~로 유명하다

유의어 be known for

She is famous for her novels.

그녀는 자신의 소설로 유명하다.

had better

~하는 게 낫다

반의어 had better not ~하지 않는 게 낫다

You had better go to bed.

너는 자는 게 낫다.

어휘 기초 확인

Answers p. 19

A 영어는 우리말로, 우리말은 영어로 쓰기

01 be covered with

02 had better

03 from now on

04 be famous for

05 지금부터는

06 ~로 덮여 있다

07 ~로 유명하다

08 ~하는 게 낫다

4주 4일

B 알맞은 말 골라 쓰기

were covered with	had better	is famous for	from now on

01 The fields ________ flowers. 들판이 꽃으로 덮여 있었다.

02 I expect you to come early ________. 나는 네가 지금부터는 일찍 오길 기대한다.

03 We ________ sit somewhere else. 우리는 다른 곳에 앉는 게 낫다.

04 London ________ Buckingham Palace. 런던은 버킹엄 궁전으로 유명하다.

make a mistake

실수하다

비교 by mistake 실수로

Don't be afraid of making a mistake.
실수하는 것을 두려워하지 마라.

change *A* into *B*

A를 B로 바꾸다

The princess changed a frog into a prince.
공주는 개구리를 왕자로 바꿨다.

protect *A* from *B*

B로부터 A를 지키다

We should protect ourselves from danger.
우리는 위험으로부터 스스로를 지켜야 한다.

be able to

~할 수 있다

유의어 can
반의어 be unable to ~할 수 없다

He is able to jump high.
그는 높이 뛸 수 있다.

어휘 기초 확인

Answers p. 19

A 영어는 우리말로, 우리말은 영어로 쓰기

01 be able to

02 change *A* into *B*

03 make a mistake

04 protect *A* from *B*

05 실수하다

06 A를 B로 바꾸다

07 B로부터 A를 지키다

08 ~할 수 있다

B 알맞은 말 골라 쓰기

make a mistake	be able to	change	protect

01 I want to ______________ speak French. 나는 프랑스어를 할 수 있기를 원한다.

02 You may ______________ now and then. 너는 가끔 실수를 할지도 모른다.

03 A magician will ______________ a card into a bird. 마술사는 카드를 새로 바꿀 것이다.

04 Sunglasses ______________ your eyes from the sun. 선글라스는 태양으로부터 눈을 지킨다.

4주 4일 어휘 집중 연습

A 숙어와 우리말 뜻 연결하기

01	from now on	a. ~할 수 있다
02	be covered with	b. 실수하다
03	had better	c. ~하는 게 낫다
04	make a mistake	d. ~로 유명하다
05	be able to	e. 지금부터는
06	be famous for	f. ~로 덮여 있다

B 밑줄 친 부분에 유의하여 알맞은 말 고르기

01 그 마을은 경치로 유명하다.

➔ The town (is famous for / is covered with) its scenery.

02 그는 돌을 금으로 바꾸는데 실패했다.

➔ He failed to (change / protect) stone (into / from) gold.

03 너는 내년에 열심히 공부하는 게 좋겠다.

➔ You (covered with / had better) study hard next year.

04 그녀는 피아노를 연주할 수 있었다.

➔ She (was able to / made a mistake) play the piano.

Answers p. 19

C 빈칸에 알맞은 철자를 넣어 문장 완성하기

01 지금부터 너는 더 조심해야 한다.

➡ You need to be more careful f☐☐☐ now on.

02 지붕은 나뭇잎으로 덮여 있었다.

➡ The roof was c☐☐e r☐☐ with leaves.

03 그녀는 실수를 하지 않으려 노력했다.

➡ She tried not to make a ☐☐☐t☐☐☐.

04 이 장갑은 손을 화상으로부터 보호한다.

➡ These gloves p☐☐☐☐c☐ your hands from burns.

4주 3~4일 누적 테스트 영어는 우리말로, 우리말은 영어로 쓰기

01	across from		09	~을 나타내다[의미하다]	
02	first of all		10	~하느라 바쁘다	
03	keep -ing		11	~에 들르다	
04	make a mistake		12	~을 염두에 두다	
05	on one's own		13	~하는 게 낫다	
06	be able to		14	B로부터 A를 지키다	
07	change *A* into *B*		15	~로 유명하다	
08	from now on		16	~로 덮여 있다	

go after

~을 추구하다

You should go after your dream.
네 꿈을 추구해야 한다.

be supposed to

~하기로 되어 있다

They were supposed to meet at 2.
그들은 두 시에 만나기로 되어 있었다.

cut ~ into pieces

~을 토막 내어 자르다

The man cuts the wood into pieces.
남자는 나무를 토막 내어 자른다.

deal with

[1]~을 다루다 [2]~을 처리하다

The film deals with robots.
그 영화는 로봇을 다룬다.

How can I deal with the problem?
어떻게 이 문제를 처리하지?

어휘 기초 확인

Answers p. 20

A 영어는 우리말로, 우리말은 영어로 쓰기

01 go after

02 be supposed to

03 deal with

04 cut ~ into pieces

05 ~을 다루다, ~을 처리하다

06 ~을 토막 내어 자르다

07 ~을 추구하다

08 ~하기로 되어 있다

B 알맞은 말 골라 쓰기

cut	deal with	go after	is supposed to

01 You should ______________ the job you want. 너는 네가 원하는 직업을 추구해야 한다.

02 Tell me how to ______________ angry customers. 화난 고객을 다루는 법을 알려 줘.

03 First, ______________ the meat into pieces. 먼저 고기를 토막 내어 잘라라.

04 He ______________ arrive on Friday. 그는 금요일에 도착하기로 되어 있다.

upside down
거꾸로

The bats are hanging upside down.
박쥐들이 거꾸로 매달려 있다.

pay for
~의 값을 지불하다

비교 pay back 갚다

I will pay for the movie tickets.
내가 영화표 값을 지불할 것이다.

run out of
~이 바닥나다, ~을 다 써버리다

유의어 use up

My phone ran out of battery.
내 전화기는 배터리가 바닥났다.

throw a party
파티를 열다

We threw a party for our son.
우리는 아들을 위해 파티를 열었다.

어휘 기초 확인

Answers p. 20

A 영어는 우리말로, 우리말은 영어로 쓰기

01 upside down

02 throw a party

03 run out of

04 pay for

05 ~의 값을 지불하다

06 거꾸로

07 파티를 열다

08 ~이 바닥나다, ~을 다 써버리다

4주 5일

B 알맞은 말 골라 쓰기

paid for	threw a party	ran out of	upside down

01 The man ________ money during the trip. 그 남자는 여행 중에 돈을 다 써버렸다.

02 The car was ________ on the road. 차가 도로 위에 거꾸로 있었다.

03 Dad ________ the textbooks. 아빠가 교재 값을 지불하셨다.

04 My friends ________ for my graduation. 내 친구들은 내 졸업 파티를 열었다.

4주 5일 어휘 집중 연습

A 숙어와 우리말 뜻 연결하기

01	go after	a. 파티를 열다
02	upside down	b. ~의 값을 지불하다
03	pay for	c. 거꾸로
04	throw a party	d. ~이 바닥나다, ~을 다 써버리다
05	deal with	e. ~을 추구하다
06	run out of	f. ~을 다루다, ~을 처리하다

B 밑줄 친 부분에 유의하여 알맞은 말 고르기

01 네 목표를 추구할 시간이다.

➜ It's time to (go after / deal with) your goal.

02 그 소녀는 어젯밤에 엄마에게 전화하기로 되어있었다.

➜ The girl (was supposed to / was upside down) call her mom last night.

03 그 제빵사는 케이크를 여덟 조각으로 잘랐다.

➜ The baker (cut / paid) the cake (for / into) 8 pieces.

04 우리는 달리기를 한 후 에너지가 바닥났다.

➜ We (went after / ran out of) energy after running.

Answers p. 20

C 빈칸에 알맞은 철자를 넣어 문장 완성하기

01 이번에는 그가 점심값을 지불할 것이다.

→ He'll [ ][a][ ] for lunch this time.

02 그 남자는 병을 거꾸로 뒤집었다.

→ The man turned the bottle [ ][ ][ ][i][ ][e] down.

03 너는 어떻게 스트레스를 다루니?

→ How do you [d][ ][ ][ ] with stress?

04 그들은 Chris가 떠나기 전에 그를 위해 파티를 열 것이다.

→ They will [t][ ][ ][o][ ] a party for Chris before he leaves.

4주 5일

4주 4~5일 누적 테스트 영어는 우리말로, 우리말은 영어로 쓰기

01	run out of		09	거꾸로	
02	pay for		10	A를 B로 바꾸다	
03	deal with		11	~하기로 되어 있다	
04	had better		12	지금부터는	
05	be famous for		13	실수하다	
06	be covered with		14	~할 수 있다	
07	go after		15	~을 토막 내어 자르다	
08	throw a party		16	B로부터 A를 지키다	

특강 | Creative Visual Review 창의·융합·코딩

공부한 어휘와 관련된 이야기를 읽으며 뜻을 확인해 봅시다.

이런. 나 또
make a mistake
했네.

괜찮아. 너보다
큰 실수를 한 사람들은
많아. 같이 알아볼까?

You can't buy the company anymore.
(당신은 더 이상 그 회사를 살 수 없어요.)

구글의 설립자들은 한 포털 사이트의 CEO에게 자신들이 만든 검색엔진을 100만 달러(약 11억 원)에 팔겠다고 제안했지만 거절당했어요. 그들은 75만 달러까지 가격을 낮췄지만, 이 역시도 거절했다고 해요. 오늘날 구글의 가치는 약 3000억 달러(약 340조 원)라고 하니, 정말 큰 실수였죠.

He had better forget about it.
(그는 그것에 대해 잊어버리는 것이 나아요.)

영국인 제임스 하웰스는 2009년 자신의 컴퓨터로 암호화폐 비트코인 7,500개를 채굴했어요. 그 후 컴퓨터가 고장 나서 하드디스크를 버렸어요. 나중에야 자신이 버린 암호화폐의 가치가 약 72억 원에 해당한다는 사실을 알고 쓰레기장을 뒤졌지만, 하드디스크를 찾을 수 없었어요. 참 안타까운 이야기죠?

J. K. Rowling is famous for the Harry Potter series.
(J. K. 롤링은 해리포터 시리즈로 유명해요.)

J.K. 롤링은 해리포터 시리즈를 출간하기 전까지 무려 12개의 출판사로부터 퇴짜를 맞았다고 해요. 1997년 블룸스버리 출판사 회장의 어린 딸의 추천 덕분에 마침내 책을 출간할 수 있었어요. 해리포터 시리즈는 전 세계 60개 언어로 번역되어 그녀에게 약 10억 달러(약 1조 원)의 수입을 안겨줬어요. 롤링의 책을 거절한 출판사들은 땅을 치고 후회했겠죠?

4주 특강

A 그림에서 연상되는 숙어와 뜻을 찾아 써 봅시다.

1

2

3

New York

I ♥ NY

4

5

6

stand for | set the table | cut one's finger

throw a party | take a look at | lay an egg

상을 차리다 | 알을 낳다 | 파티를 열다

~을 보다 | ~을 나타내다[의미하다] | 손가락을 베다

Answers p. 21

B 우리말 뜻에 해당하는 숙어를 완성해 봅시다.

1 우선, 무엇보다도 — _ _ _ _ _(1) of all

2 가끔, 때로는 — _(2) _ _ _ in a while

3 ~로 덮여 있다 — be _ _ _ _(3) _ _ _ with

4 서로 — one _ _ _ _(4) _ _ _

5 설거지하다 — do the _ _ _ _(5) _ _

6 ~을 다루다, ~을 처리하다 — _ _(6) _ _ with

7 끝나다 — be _ _ _ _(7)

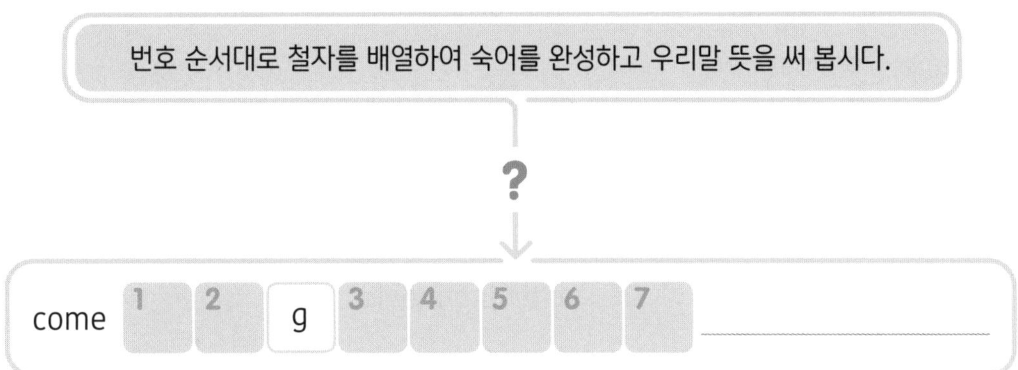

번호 순서대로 철자를 배열하여 숙어를 완성하고 우리말 뜻을 써 봅시다.
?
come 1 2 g 3 4 5 6 7

4주 특강

C 그림을 보고, 대화를 완성해 봅시다.

1

2

3

1 A: I want to be a singer, so I sing in [ ].

나는 가수가 되고 싶어서 사람들 앞에서 노래 불러.

B: Oh, you're going [ ] your dream.

아, 너는 네 꿈을 쫓고 있구나.

2 A: Hi, I [ ] [ ] to give you this.

안녕, 너한테 이거 주려고 들렀어.

B: Thanks. I was [ ] watching movies.

고마워. 나는 영화를 보느라 바빴어.

3 A: You were [ ] to be here 20 minutes ago.

너는 20분 전에 여기 오기로 되어 있었어.

B: I'm sorry for being late.

늦어서 미안해.

Answers p. 21

D 크로스워드 퍼즐을 완성해 봅시다.

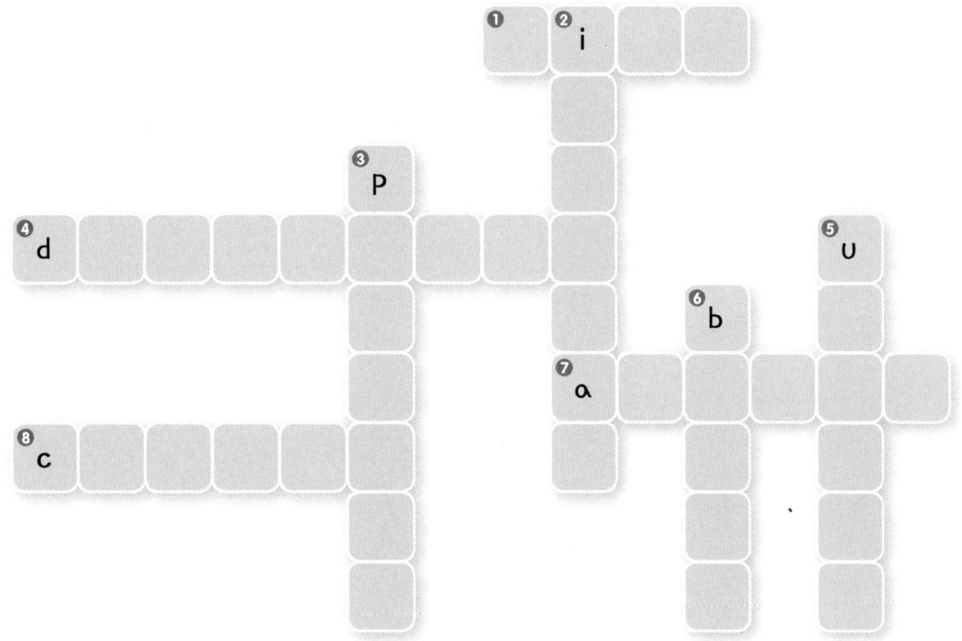

4주 특강

Across

1. have ~ in __________ ~을 염두에 두다
4. be __________ from ~와 다르다 ↔ be similar to ~와 비슷하다
7. The park is __________ from the building. 공원은 건물 건너편에 있다.
8. __________ water into electricity 물을 전기로 바꾸다

Down

2. I ate noodle __________ of rice. 나는 밥 대신에 면을 먹었다.
3. __________ us from the wind 바람으로부터 우리를 보호하다
5. __________ down 거꾸로
6. take a __________ = get some rest 쉬다

누구나 100점 테스트

[01-02] 그림을 보고, 우리말 뜻에 해당하는 숙어를 완성해 봅시다.

01

~을 염두에 두다 : ____________ ~ in mind

02

A를 B로 바꾸다 : ____________ *A* into *B*

[03-05] 밑줄 친 숙어의 뜻으로 알맞은 것을 골라 봅시다.

03

He ordered pizza instead of pasta.

a. 혼자서, 혼자 힘으로 b. ~ 대신에 c. 사람들 앞에서, 공개적으로 d. 서로

04

I keep a diary once in a while.

a. 가끔, 때로는 b. 반드시 ~하다 c. 우선, 무엇보다도 d. 지금부터는

05

The town is famous for its scenery.

a. ~로 덮여 있다 b. ~와 다르다 c. ~로 유명하다 d. ~할 수 있다

○Answers p. 21

[06-07] 빈칸에 들어갈 알맞은 단어를 골라 봅시다.

06 The writer often appears ________. 그 작가는 자주 사람들 앞에 모습을 보인다.

a. instead of　　b. upside down　　c. in public　　d. across from

07 She ________ under the tree. 그녀는 나무 아래에서 잠깐 쉬었다.

a. had better　　b. took a break　　c. stood for　　d. went after

[08-10] 그림을 보고, 알맞은 단어를 골라 문장을 다시 써 봅시다.

08 I will (stand / pay) for the movie tickets.

➡

09 We should (protect / change) ourselves from danger.

➡

10 They are (setting / taking) the table for dinner.

➡

Index

Index

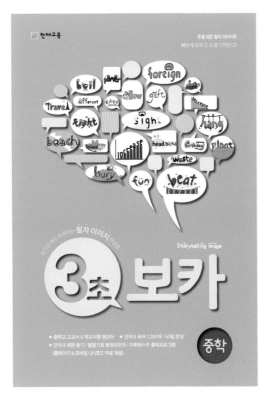

천재교육

정답

중학★바탕 학습

어휘 3 숙어편

시작은

하루 영어

중학 어휘
3

시작은 하루 영어

정답

정답과 해설

1주

1주에는 무엇을 공부할까? ❶ pp. 6 ~ 7

01 감기에 걸리다
02 (전기·수도 등을) 켜다, 틀다
03 (옷 등을) 입다
04 외식하다
05 예약하다
06 (~로) 돌아가다
07 서두르다
08 열이 나다
09 쉬다, 휴식을 취하다
10 일어나다

1주에는 무엇을 공부할까? ❷ pp. 8 ~ 9

❷-1
01 on time
02 have fun
03 throw away
04 see a doctor
05 take off
06 look at

❷-2
01 walk a dog
02 have a runny nose
03 go to the movies
04 take a picture
05 in front of
06 take a class

1일

어휘 기초 확인 p. 11

A
01 잠자리에 들다
02 서두르다
03 ~에 늦다
04 일어나다
05 be late for
06 hurry up
07 get up
08 go to bed

B
01 go to bed
02 be late for
03 hurry up
04 get up

어휘 기초 확인 p. 13

A
01 ~ 출신이다
02 ~의 앞에
03 ~을 잘하다
04 (옷 등을) 입다
05 be good at
06 be from
07 put on
08 in front of

B
01 front
02 good
03 from
04 put

1일 어휘 집중 연습 pp. 14 ~ 15

A
01 e
02 b
03 f
04 c
05 a
06 d

B
01 go to bed
02 put on
03 get up
04 is from

C
01 good
02 late
03 hurry
04 front

누적 테스트

01 ~을 잘하다
02 ~ 출신이다
03 ~에 늦다
04 잠자리에 들다
05 (옷 등을) 입다
06 일어나다
07 서두르다
08 ~의 앞에
09 go to bed
10 be late for
11 put on
12 hurry up
13 in front of
14 be good at
15 be from
16 get up

어휘 기초 확인 p. 17

A 01 (~와) 친구가 되다
02 ~와 시간을 보내다
03 (~로) 돌아가다
04 수업을 듣다
05 hang out with
06 take a class
07 make friends (with)
08 go back (to)

B 01 make friends with
02 take a class
03 hang out with
04 go back

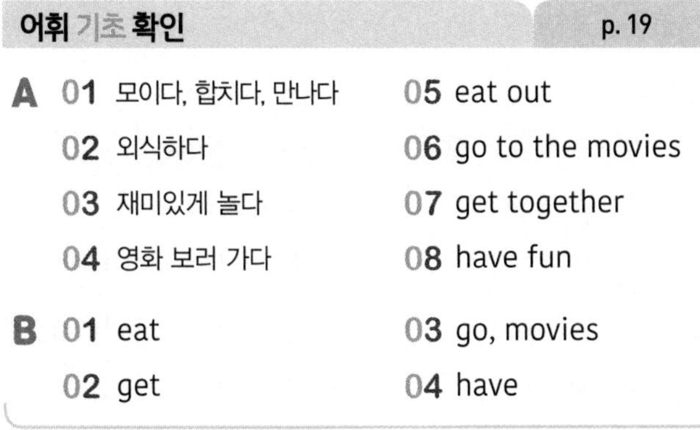

어휘 기초 확인 p. 19

A 01 모이다, 합치다, 만나다
02 외식하다
03 재미있게 놀다
04 영화 보러 가다
05 eat out
06 go to the movies
07 get together
08 have fun

B 01 eat
02 get
03 go, movies
04 have

2일 어휘 집중 연습 pp. 20 ~ 21

A 01 b
02 d
03 f
04 c
05 e
06 a

B 01 hang out with
02 go to the movies
03 have fun
04 go back

C 01 take
02 make
03 together
04 eat

누적 테스트

01 (~로) 돌아가다
02 재미있게 놀다
03 ~에 늦다
04 외식하다
05 ~와 시간을 보내다
06 잠자리에 들다
07 ~을 잘하다
08 (옷 등을) 입다
09 take a class
10 go to the movies
11 in front of
12 get up
13 be from
14 hurry up
15 get together
16 make friends (with)

어휘 기초 확인 p. 23

A 01 감기에 걸리다
02 콧물이 나다
03 의사에게 진찰을 받다
04 열이 나다
05 have a runny nose
06 catch a cold
07 see a doctor
08 have a fever

B 01 see a doctor
02 have a fever
03 have a runny nose
04 catch a cold

정답

어휘 기초 확인 p. 25

A 01 ~을 찾다
02 사진을 찍다
03 서로
04 ~에 관심이 있다
05 take a picture
06 look for
07 be interested in
08 each other

B 01 each
02 take
03 interested
04 look

3일 어휘 집중 연습 pp. 26 ~ 27

A 01 f
02 a
03 e
04 d
05 c
06 b

B 01 see a doctor
02 are interested in
03 have a runny nose
04 take a picture

C 01 fever
02 catch
03 other
04 look

누적 테스트

01 서로
02 영화 보러 가다
03 의사에게 진찰을 받다
04 모이다, 합치다, 만나다
05 ~을 찾다
06 (~와) 친구가 되다
07 열이 나다
08 수업을 듣다
09 hang out with
10 be interested in
11 catch a cold
12 have fun
13 have a runny nose
14 go back (to)
15 take a picture
16 eat out

4일

어휘 기초 확인 p. 29

A 01 ~을 보다
02 쉬다, 휴식을 취하다
03 개를 산책시키다
04 (전기·수도 등을) 켜다, 틀다
05 walk a dog
06 get some rest
07 turn on
08 look at

B 01 look
02 turn
03 get
04 walk

어휘 기초 확인 p. 31

A 01 제때
02 집으로 오는 길에
03 ~을 요청하다
04 ~에 도착하다
05 ask for
06 on time
07 get to
08 on the way home

B 01 get to
02 ask for
03 on the way home
04 on time

4일 어휘 집중 연습 pp. 32 ~ 33

A 01 e 02 f 03 a 04 b 05 d 06 c

B 01 look at 02 on the way home 03 get to 04 get some rest

C 01 turn 02 walk 03 ask 04 time

누적 테스트

01 제때
02 ~에 관심이 있다
03 쉬다, 휴식을 취하다
04 집으로 오는 길에
05 콧물이 나다
06 사진을 찍다
07 ~을 보다
08 감기에 걸리다
09 ask for
10 look for
11 turn on
12 each other
13 get to
14 have a fever
15 see a doctor
16 walk a dog

5일

어휘 기초 확인 p. 35

A 01 기운을 내다, ~을 격려하다 02 이륙하다, (옷 등을) 벗다 03 곤경에 처한 04 ~ 덕분에 05 cheer up 06 take off 07 thanks to 08 in trouble

B 01 thanks 02 cheer 03 take 04 trouble

어휘 기초 확인 p. 37

A 01 잠깐 동안 02 버리다, (기회 등을) 허비하다 03 예약하다 04 ~을 돌보다 05 make a reservation 06 for a while 07 take care of 08 throw away

B 01 throw away 02 take care of 03 make a reservation 04 for a while

5일 어휘 집중 연습 pp. 38 ~ 39

A 01 d 02 a 03 e 04 c 05 f 06 b

B 01 in trouble 02 take care of 03 Thanks to 04 make a reservation

C 01 while 02 take 03 cheer 04 throw

누적 테스트

01 이륙하다, (옷 등을) 벗다
02 버리다, (기회 등을) 허비하다
03 (전기·수도 등을) 켜다, 틀다
04 ~에 도착하다
05 ~을 돌보다
06 ~을 요청하다
07 기운을 내다, ~을 격려하다
08 개를 산책시키다
09 thanks to
10 get some rest
11 make a reservation
12 look at
13 in trouble
14 on the way home
15 for a while
16 on time

정답

특강 | 창의·융합·코딩 pp. 42 ~ 45

A 1 go back (to) (~로) 돌아가다
2 get some rest 쉬다, 휴식을 취하다
3 cheer up 기운을 내다, ~을 격려하다
4 look for ~을 찾다
5 catch a cold 감기에 걸리다
6 get up 일어나다

B 1 time
2 have
3 way
4 hurry
5 front
6 take
7 friends
➔ thanks to, ~ 덕분에

C 1 eat, out, make, reservation
2 interested, in, go, movies
3 hang, out, Have, fun

D

					①f			
					e			
			②l		v			
			a		e			
	③c		④t	h	r	o	⑤w	
⑥t	a	k	e				h	
	r						i	
	e				⑦w	a	l	k
							e	

1주 누구나 100점 테스트 pp. 46 ~ 47

01 look
02 go
03 b
04 c
05 b
06 a
07 d
08 get, They'll get together at Christmas.
09 turned, Mom turned on the light.
10 putting, He is putting on the jacket.

2주

2주에는 무엇을 공부할까? ❶ pp. 48 ~ 49

01 찾아내다, 알아내다
02 줄을 서다
03 자전거를 타다
04 (책 등을) 대출하다
05 공짜로, 무료로
06 할인 중인, 판매 중인
07 습관을 고치다
08 포기하다
09 둘러보다
10 ~의 한가운데에

2주에는 무엇을 공부할까? ❷ pp. 50 ~ 51

❷-1 01 grow up
02 tell a lie
03 next to
04 make fun of
05 go away
06 keep one's promise

❷-2 01 run away
02 take a walk
03 be full of
04 make a noise
05 in secret
06 do one's best

1일

어휘 기초 확인 p. 53

A 01 ~에게 잘 어울리다
02 자전거를 타다
03 ~을 기다리다
04 시도하다, 한번 해 보다
05 ride a bike
06 look good on
07 give it a try
08 wait for

B 01 wait for
02 give it a try
03 ride a bike
04 look good on

어휘 기초 확인 p. 55

A 01 ~에게 안부를 전하다
02 자라다, 성장하다
03 둘러보다
04 ~에 놀라다
05 say hello to
06 look around
07 be surprised at
08 grow up

B 01 say
02 look
03 grow
04 surprised

1일 어휘 집중 연습 pp. 56 ~ 57

A 01 c
02 e
03 a
04 b
05 f
06 d

B 01 waiting for
02 were surprised at
03 looks good on
04 looked around

C 01 ride
02 grow
03 hello
04 give, try

누적 테스트

01 둘러보다
02 자라다, 성장하다
03 시도하다, 한번 해 보다
04 ~에게 잘 어울리다
05 ~에 놀라다
06 ~에게 안부를 전하다
07 자전거를 타다
08 ~을 기다리다
09 be surprised at
10 wait for
11 ride a bike
12 give it a try
13 grow up
14 look around
15 say hello to
16 look good on

정답

2일

어휘 기초 확인 p. 59

A 01 오래전에
02 시끄럽게 하다
03 습관을 고치다
04 ~ 옆에
05 a long time ago
06 break a habit
07 next to
08 make a noise

B 01 break a habit
02 next to
03 a long time ago
04 make a noise

어휘 기초 확인 p. 61

A 01 ~로 가득 차다
02 ~에 좋다
03 ~의 한가운데에
04 (책 등을) 대출하다, (호텔·슈퍼에서) 계산하고 나오다
05 in the middle of
06 check out
07 be full of
08 be good for

B 01 check
02 good
03 full
04 in, middle

2일 어휘 집중 연습 pp. 62 ~ 63

A 01 d
02 b
03 c
04 f
05 e
06 a

B 01 checked out
02 next to
03 made a noise
04 was full of

C 01 good
02 break
03 long, ago
04 middle

누적 테스트

01 ~ 옆에
02 ~을 기다리다
03 ~에 좋다
04 둘러보다
05 습관을 고치다
06 ~로 가득 차다
07 ~에게 안부를 전하다
08 시도하다, 한번 해 보다
09 check out
10 ride a bike
11 a long time ago
12 grow up
13 in the middle of
14 be surprised at
15 make a noise
16 look good on

3일

어휘 기초 확인 p. 65

A 01 할인 중인, 판매 중인
02 공짜로, 무료로
03 줄을 서다
04 깨어나다, 깨우다
05 stand in line
06 for free
07 on sale
08 wake up

B 01 on sale
02 wake up
03 stand in line
04 for free

어휘 기초 확인 p. 67

A
01 ~을 공통으로 갖고 있다
02 ~가 …하는 것을 돕다
03 찾아내다, 알아내다
04 ~을 놀리다
05 find out
06 make fun of
07 have in common
08 help ~ with …

B
01 make
02 common
03 help, with
04 find

3일 어휘 집중 연습 pp. 68 ~ 69

A
01 b
02 e
03 a
04 c
05 f
06 d

B
01 for free
02 find out
03 stood in line
04 wakes up

C
01 make
02 sale
03 have, common
04 help, with

누적 테스트

01 ~을 놀리다
02 줄을 서다
03 (책 등을) 대출하다, (호텔·슈퍼에서) 계산하고 나오다
04 ~의 한가운데에
05 찾아내다, 알아내다
06 시끄럽게 하다
07 깨어나다, 깨우다
08 오래전에
09 for free
10 have ~ in common
11 be full of
12 break a habit
13 next to
14 on sale
15 be good for
16 help ~ with …

4일

어휘 기초 확인 p. 71

A
01 몰래, 비밀리에
02 ~에게 장난을 치다
03 거짓말하다
04 달아나다
05 play a trick on
06 in secret
07 run away
08 tell a lie

B
01 play a trick on
02 tell a lie
03 run away
04 in secret

어휘 기초 확인 p. 73

A
01 최선을 다하다
02 (떠나)가다
03 여러 면에서
04 ~로 가득 차다
05 go away
06 do one's best
07 be filled with
08 in many ways

B
01 filled
02 best
03 go
04 ways

정답

4일 어휘 집중 연습 pp. 74 ~ 75

A 01 f 02 d 03 e 04 a 05 c 06 b

B 01 in many ways 02 played a trick on 03 do his best 04 ran away

C 01 tell, lie 02 away 03 secret 04 filled

누적 테스트

01 할인 중인, 판매 중인
02 (떠나)가다
03 공짜로, 무료로
04 ~에게 장난을 치다
05 몰래, 비밀리에
06 ~을 공통으로 갖고 있다
07 ~로 가득 차다
08 ~가 …하는 것을 돕다
09 stand in line
10 tell a lie
11 wake up
12 do one's best
13 make fun of
14 run away
15 in many ways
16 find out

5일

어휘 기초 확인 p. 77

A 01 조심하다, 주의하다 02 성적을 받다 03 산책하다 04 포기하다 05 take a walk 06 watch out 07 give up 08 get a grade

B 01 give up 02 get a grade 03 watch out 04 take a walk

어휘 기초 확인 p. 79

A 01 항상, 언제나 02 약속을 지키다 03 조금, 소수 04 ~에 관심을 가지다, ~에 마음을 쓰다 05 all the time 06 a few 07 care about 08 keep one's promise

B 01 care 02 keep, promise 03 time 04 few

5일 어휘 집중 연습 pp. 80 ~ 81

A 01 b 02 a 03 f 04 e 05 d 06 c

B 01 watch out 02 gave up 03 all the time 04 care about

C 01 take, walk 02 promise 03 get, grade 04 few

누적 테스트

01 ~에 관심을 가지다, ~에 마음을 쓰다
02 거짓말하다
03 포기하다
04 달아나다
05 산책하다
06 여러 면에서
07 항상, 언제나
08 최선을 다하다
09 a few
10 get a grade
11 play a trick on
12 be filled with
13 keep one's promise
14 in secret
15 go away
16 watch out

특강 | 창의·융합·코딩 pp. 84 ~ 87

A **1** be surprised at ~에 놀라다
2 play a trick on ~에게 장난을 치다
3 be filled with ~로 가득 차다
4 a few 조금, 소수
5 a long time ago 오래전에
6 ride a bike 자전거를 타다

B **1** sale
2 hello
3 common
4 free
5 middle
6 help
7 about
→ in secret, 몰래, 비밀리에

C **1** get, grade, do, best
2 in, line, for
3 tell, lie, keep, promise

D

			①b					
②f			r					
u		③n	e	x	④t			⑦t
l			a		i			r
⑤l	o	o	k		⑥m	a	n	y
					e			

2주 누구나 100점 테스트 pp. 88 ~ 89

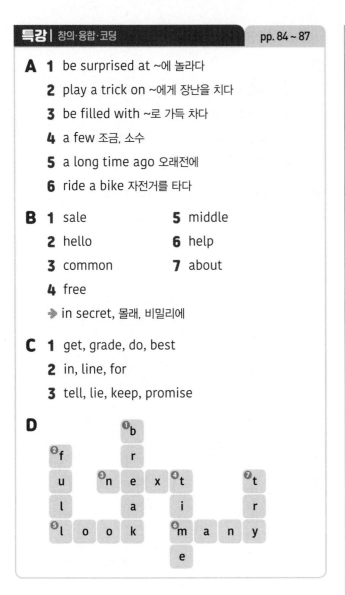

01 make
02 give
03 a
04 b
05 d
06 d
07 b
08 takes, He takes a walk once a day
09 went, The bird went away last night.
10 checked, She checked out cookbooks.

정답

3주

3주에는 무엇을 공부할까? ❶ pp. 90 ~ 91

01 동시에
02 ~에 집중하다
03 많은
04 진정시키다, 진정하다
05 나타나다, 드러나다
06 집다, 줍다
07 전 세계(에)
08 예를 들면

3주에는 무엇을 공부할까? ❷ pp. 92 ~ 93

❷-1 01 in harmony with
02 walk along
03 get into
04 prepare for
05 plenty of
06 look after

❷-2 01 be proud of
02 be afraid of
03 look like
04 stay up
05 at the same time
06 play a role

1일

어휘 기초 확인 p. 95

A 01 ~에 준비[대비]하다
02 동시에
03 실현되다
04 ~에게 행운을 기원하다
05 come true
06 wish ~ good luck
07 at the same time
08 prepare for

B 01 wish
02 come true
03 prepare for
04 at the same time

어휘 기초 확인 p. 97

A 01 마침내
02 역할을 하다
03 ~을 보살피다, ~을 좋아하다
04 부탁하다
05 play a role
06 ask a favor
07 at last
08 care for

B 01 care
02 last
03 favor
04 play

1일 어휘 집중 연습 pp. 98 ~ 99

A 01 d
02 b
03 c
04 a
05 e
06 f

B 01 asked a favor
02 at the same time
03 wish them good luck
04 plays a role

C 01 care
02 last
03 prepare
04 comes

누적 테스트

01 ~을 보살피다, ~을 좋아하다
02 마침내
03 부탁하다
04 ~에 준비[대비]하다
05 동시에
06 실현되다
07 역할을 하다
08 ~에게 행운을 기원하다
09 prepare for
10 ask a favor
11 come true
12 play a role
13 at the same time
14 wish ~ good luck
15 care for
16 at last

어휘 기초 확인 p. 101

A 01 (과제물 등을) 제출하다
02 계속되다
03 ~에 집중하다
04 깨어 있다, 안 자다
05 focus on
06 stay up
07 go on
08 hand in

B 01 go on
02 focus on
03 hand in
04 stay up

어휘 기초 확인 p. 103

A 01 ~처럼 들리다, ~인 것 같다
02 많은
03 ~와 같은
04 ~에 들어가다
05 plenty of
06 such as
07 sound like
08 get into

B 01 sound
02 get
03 plenty
04 such

2일 어휘 집중 연습 pp. 104 ~ 105

A 01 c
02 d
03 b
04 e
05 f
06 a

B 01 focus on
02 plenty of
03 go on
04 got into

C 01 hand
02 such
03 sounds
04 stay

누적 테스트

01 ~에 들어가다
02 부탁하다
03 동시에
04 ~에게 행운을 기원하다
05 ~에 집중하다
06 계속되다
07 역할을 하다
08 깨어 있다, 안 자다
09 at last
10 come true
11 plenty of
12 such as
13 sound like
14 hand in
15 care for
16 prepare for

3일

어휘 기초 확인 p. 107

A 01 사실
02 ~처럼 보이다
03 ~을 두려워하다
04 나타나다, 드러나다
05 be afraid of
06 in fact
07 look like
08 show up

B 01 fact
02 show
03 afraid
04 look

어휘 기초 확인 p. 109

A 01 ~한 느낌이 들다
02 ~에 타다
03 ~에 참가하다
04 알람을 맞추다
05 take part in
06 feel like
07 set one's alarm
08 get on

B 01 take part in
02 got on
03 felt like
04 set

정답

3일 어휘 집중 연습 pp. 110 ~ 111

A 01 b 02 d 03 e 04 f 05 a 06 c

B 01 gets on 02 feel like 03 showed up 04 set my alarm

C 01 fact 02 afraid 03 looks 04 take

누적 테스트

01 ~한 느낌이 들다
02 ~을 두려워하다
03 ~처럼 들리다, ~인 것 같다
04 많은
05 ~에 참가하다
06 사실
07 ~처럼 보이다
08 ~에 들어가다
09 stay up
10 get on
11 show up
12 go on
13 hand in
14 focus on
15 set one's alarm
16 such as

어휘 기초 확인 p. 115

A 01 예를 들면 02 꺼내다, (음식을) 포장해 가다 03 많은 04 진정시키다, 진정하다 05 a lot of 06 calm down 07 for example 08 take out

B 01 calm down 02 a lot of 03 take out 04 for example

4일

어휘 기초 확인 p. 113

A 01 반복해서 02 ~을 돌보다 03 ~을 따라 걷다 04 ~을 따라 이름 짓다 05 look after 06 name after 07 walk along 08 over and over

B 01 looked after 02 over and over 03 walked along 04 named after

4일 어휘 집중 연습 pp. 116 ~ 117

A 01 b 02 a 03 e 04 f 05 d 06 c

B 01 a lot of 02 walks along 03 take out 04 looked after

C 01 over 02 calm 03 example 04 named

누적 테스트

01 ~에 참가하다
02 꺼내다, (음식을) 포장해 가다
03 ~을 따라 걷다
04 ~을 두려워하다
05 예를 들면
06 진정시키다, 진정하다
07 나타나다, 드러나다
08 ~에 타다
09 a lot of
10 look after
11 in fact
12 look like
13 over and over
14 name after
15 feel like
16 set one's alarm

5일

어휘 기초 확인 p. 119

A 01 ~을 자랑스럽게 여기다
02 ~와 조화를 이루어
03 ~을 기대하다
04 집다, 줍다
05 look forward to
06 pick up
07 in harmony with
08 be proud of

B 01 forward
02 pick
03 proud
04 harmony

어휘 기초 확인 p. 121

A 01 ~할 준비가 되다
02 ~으로 붐비다
03 전 세계(에)
04 ~에 지원하다, ~을 신청하다
05 all over the world
06 be crowded with
07 be ready for
08 apply for

B 01 applied for
02 be ready for
03 be crowded with
04 all over the world

5일 어휘 집중 연습 pp. 122 ~ 123

A 01 f
02 a
03 e
04 b
05 d
06 c

B 01 were ready for
02 applied for
03 in harmony with
04 looks forward to

C 01 proud
02 pick
03 world
04 crowded

누적 테스트

01 ~을 따라 이름 짓다
02 ~할 준비가 되다
03 ~으로 붐비다
04 ~에 지원하다, ~을 신청하다
05 반복해서
06 전 세계(에)
07 많은
08 ~을 돌보다
09 pick up
10 walk along
11 for example
12 in harmony with
13 take out
14 look forward to
15 calm down
16 be proud of

정답

특강 | 창의·융합·코딩 pp. 126 ~ 129

A 1 get into ~에 들어가다
2 feel like ~한 느낌이 들다
3 over and over 반복해서
4 calm down 진정시키다, 진정하다
5 sound like ~처럼 들리다, ~인 것 같다
6 take part in ~에 참가하다

B 1 ready
2 take
3 role
4 set
5 after
6 come
7 like
➔ at the same time, 동시에

C 1 care, harmony
2 lot
3 apply, for, fact

D

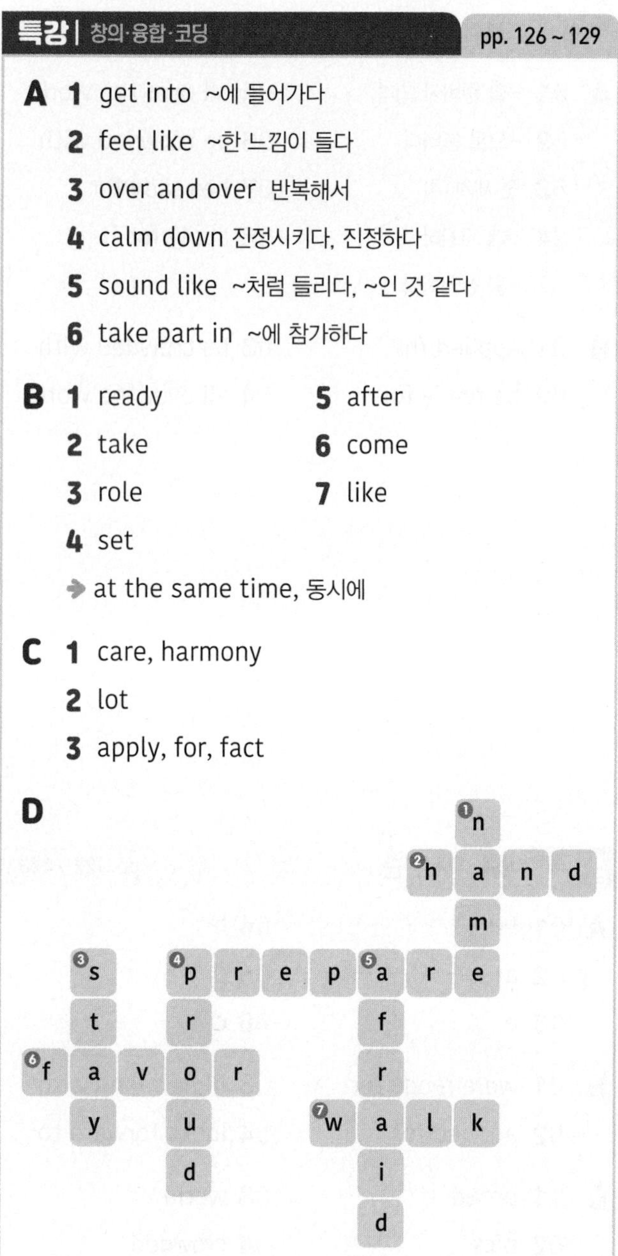

3주 누구나 100점 테스트 pp. 130 ~ 131

01 show
02 stay
03 c
04 b
05 a
06 b
07 c
08 afraid, The tiger is afraid of the baby.
09 sounds, His voice sounds like thunder.
10 plays, She plays a big role in this game.

4주

4주에는 무엇을 공부할까? ❶ pp. 132 ~ 133

01 알을 낳다
02 상을 차리다
03 ~을 보다
04 거꾸로
05 파티를 열다
06 ~에 들르다
07 실수하다
08 우선, 무엇보다도

4주에는 무엇을 공부할까? ❷ pp. 134 ~ 135

❷-1
01 make a mistake
02 come together
03 blow one's nose
04 across from
05 upside down
06 in public

❷-2
01 cut ~ into pieces
02 be over
03 be famous for
04 be covered with
05 take a break
06 run out of

1일

어휘 기초 확인 p. 137

A
01 손가락을 베다
02 ~와 다르다
03 코를 풀다
04 반드시 ~하다
05 be different from
06 blow one's nose
07 cut one's finger
08 be sure to

B
01 blow
02 different
03 cut
04 sure

어휘 기초 확인 p. 139

A
01 ~ 대신에
02 잠깐 쉬다
03 상을 차리다
04 설거지하다
05 take a break
06 do the dishes
07 instead of
08 set the table

B
01 do the dishes
02 take a break
03 set the table
04 instead of

1일 어휘 집중 연습 pp. 140 ~ 141

A
01 d
02 b
03 a
04 f
05 e
06 c

B
01 set the table
02 is different from
03 blew his nose
04 instead of

C
01 dishes
02 sure
03 break
04 finger

누적 테스트

01 잠깐 쉬다
02 설거지하다
03 ~ 대신에
04 반드시 ~하다
05 ~와 다르다
06 코를 풀다
07 상을 차리다
08 손가락을 베다
09 blow one's nose
10 take a break
11 instead of
12 be different from
13 be sure to
14 cut one's finger
15 do the dishes
16 set the table

정답

2일

어휘 기초 확인 p. 143

A
01 끝나다
02 더 이상 ~ 않다
03 ~을 보다
04 사람들 앞에서, 공개적으로
05 take a look at
06 be over
07 not ~ anymore
08 in public

B
01 take a look at
02 was over
03 anymore
04 in public

누적 테스트

01 서로
02 ~ 대신에
03 상을 차리다
04 끝나다
05 합치다
06 ~을 보다
07 ~와 다르다
08 가끔, 때로는
09 lay an egg
10 in public
11 be sure to
12 not ~ anymore
13 blow one's nose
14 take a break
15 cut one's finger
16 do the dishes

어휘 기초 확인 p. 145

A
01 알을 낳다
02 서로
03 가끔, 때로는
04 합치다
05 come together
06 one another
07 once in a while
08 lay an egg

B
01 another
02 while
03 lay
04 together

2일 어휘 집중 연습 pp. 146 ~ 147

A
01 d
02 a
03 c
04 b
05 e
06 f

B
01 anymore
02 in public
03 once in a while
04 came together

C
01 over
02 lay
03 another
04 take

3일

어휘 기초 확인 p. 149

A
01 ~에 들르다
02 계속 ~하다
03 혼자서, 혼자 힘으로
04 ~을 염두에 두다
05 keep -ing
06 on one's own
07 drop by
08 have ~ in mind

B
01 own
02 keep
03 drop
04 mind

어휘 기초 확인 p. 151

A
01 ~의 건너편에
02 ~을 나타내다[의미하다]
03 우선, 무엇보다도
04 ~하느라 바쁘다
05 first of all
06 be busy -ing
07 across from
08 stand for

B
01 stand for
02 across from
03 First of all
04 are busy making

3일 어휘 집중 연습 pp. 152 ~ 153

A
01 a
02 c
03 f
04 e
05 d
06 b

B
01 First of all
02 drop by
03 across from
04 stands for

C
01 keep
02 own
03 mind
04 busy

누적 테스트

01 사람들 앞에서, 공개적으로
02 더 이상 ~ 않다
03 끝나다
04 ~을 나타내다[의미하다]
05 ~에 들르다
06 ~을 염두에 두다
07 알을 낳다
08 서로
09 take a look at
10 once in a while
11 across from
12 be busy -ing
13 keep -ing
14 on one's own
15 first of all
16 come together

어휘 기초 확인 p. 157

A
01 ~할 수 있다
02 A를 B로 바꾸다
03 실수하다
04 B로부터 A를 지키다
05 make a mistake
06 change *A* into *B*
07 protect *A* from *B*
08 be able to

B
01 be able to
02 make a mistake
03 change
04 protect

4일

어휘 기초 확인 p. 155

A
01 ~로 덮여 있다
02 ~하는 게 낫다
03 지금부터는
04 ~로 유명하다
05 from now on
06 be covered with
07 be famous for
08 had better

B
01 were covered with
02 from now on
03 had better
04 is famous for

4일 어휘 집중 연습 pp. 158 ~ 159

A
01 e
02 f
03 c
04 b
05 a
06 d

B
01 is famous for
02 change, into
03 had better
04 was able to

C
01 from
02 covered
03 mistake
04 protect

정답

누적 테스트

01 ~의 건너편에
02 우선, 무엇보다도
03 계속 ~하다
04 실수하다
05 혼자서, 혼자 힘으로
06 ~할 수 있다
07 A를 B로 바꾸다
08 지금부터는
09 stand for
10 be busy -ing
11 drop by
12 have ~ in mind
13 had better
14 protect *A* from *B*
15 be famous for
16 be covered with

5일

어휘 기초 확인 p. 161

A
01 ~을 추구하다
02 ~하기로 되어 있다
03 ~을 다루다, ~을 처리하다
04 ~을 토막 내어 자르다
05 deal with
06 cut ~ into pieces
07 go after
08 be supposed to

B
01 go after
02 deal with
03 cut
04 is supposed to

어휘 기초 확인 p. 163

A
01 거꾸로
02 파티를 열다
03 ~이 바닥나다, ~을 다 써버리다
04 ~의 값을 지불하다
05 pay for
06 upside down
07 throw a party
08 run out of

B
01 ran out of
02 upside down
03 paid for
04 threw a party

5일 어휘 집중 연습 pp. 164 ~ 165

A
01 e
02 c
03 b
04 a
05 f
06 d

B
01 go after
02 was supposed to
03 cut, into
04 ran out of

C
01 pay
02 upside
03 deal
04 throw

누적 테스트

01 ~이 바닥나다, ~을 다 써버리다
02 ~의 값을 지불하다
03 ~을 다루다, ~을 처리하다
04 ~하는 게 낫다
05 ~로 유명하다
06 ~로 덮여 있다
07 ~을 추구하다
08 파티를 열다
09 upside down
10 change *A* into *B*
11 be supposed to
12 from now on
13 make a mistake
14 be able to
15 cut ~ into pieces
16 protect *A* from *B*

특강 | 창의·융합·코딩 pp. 168 ~ 171

A **1** take a look at ~을 보다
2 set the table 상을 차리다
3 stand for ~을 나타내다[의미하다]
4 lay an egg 알을 낳다
5 cut one's finger 손가락을 베다
6 throw a party 파티를 열다

B **1** first **5** dishes
2 once **6** deal
3 covered **7** over
4 another
➔ come together, 합치다

C **1** public, after
2 dropped, by, busy
3 supposed

D

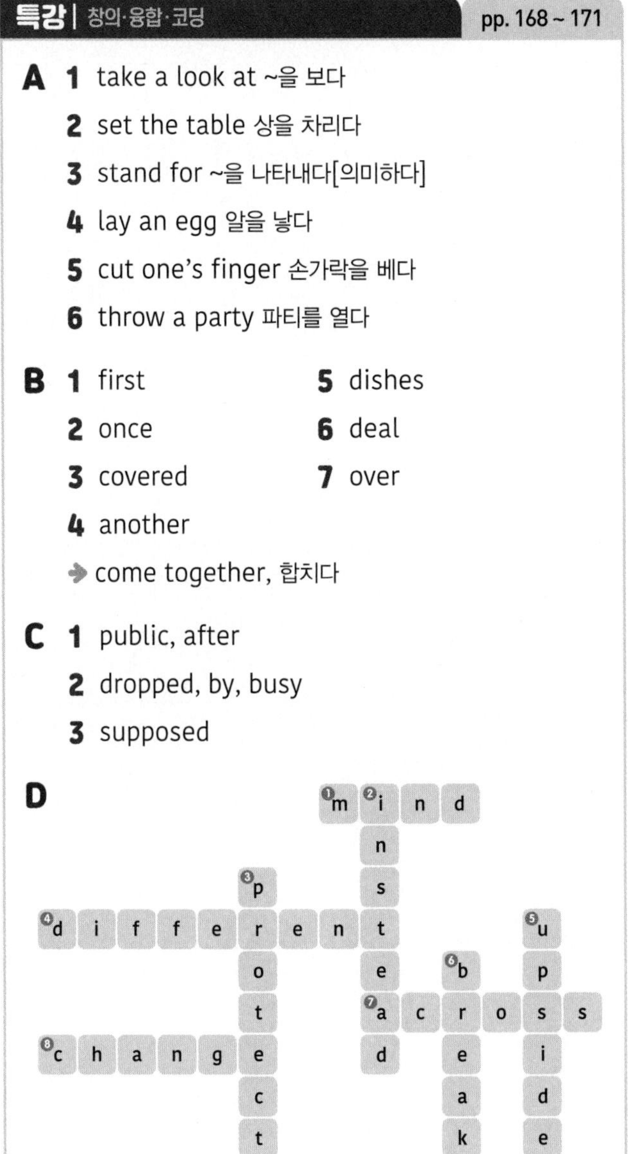

4주 누구나 100점 테스트 pp. 172 ~ 173

01 have
02 change
03 b
04 a
05 c
06 c
07 b
08 pay, I will pay for the movie tickets.
09 protect, We should protect ourselves from danger.
10 setting, They are setting the table for dinner.

Memo

Memo

Memo

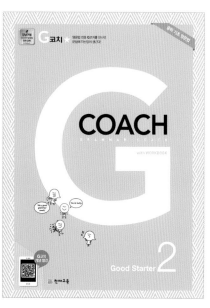

정답은
이안에
있어!

시작은 하루 중학 영어

- 문법 1, 2, 3
- 어휘 1, 2, 3

이 교재도 추천해요!

- G코치 (Grammar Coach)
- 3초 보카

시작은 하루 중학 사회 / 역사

- 사회 ①, ②
- 역사 ①, ②

시작은 하루 중학 과학

- 1-1, 1-2
- 2-1, 2-2
- 3-1, 3-2

배움으로 행복한 내일을 꿈꾸는

천재교육 커뮤니티 안내

교재 안내부터 구매까지 한 번에!

천재교육 홈페이지

천재교육 홈페이지에서는 자사가 발행하는 참고서, 교과서에 대한 소개는 물론 도서 구매도 할 수 있습니다. 회원에게 지급되는 별을 모아 다양한 상품 응모에도 도전해 보세요.

구독, 좋아요는 필수! 핵유용 정보 가득한

천재교육 유튜브 <천재TV>

신간에 대한 자세한 정보가 궁금하세요?
참고서를 어떻게 활용해야 할지 고민인가요?
공부 외 다양한 고민을 해결해 줄 채널이 필요한가요?
학생들에게 꼭 필요한 콘텐츠로 가득한 천재TV로 놀러 오세요!

다양한 교육 꿀팁에 깜짝 이벤트는 덤!

천재교육 인스타그램

천재교육의 새롭고 중요한 소식을 가장 먼저 접하고 싶다면?
천재교육 인스타그램 팔로우가 필수!
누구보다 빠르고 재미있게 천재교육의 소식을 전달합니다.
깜짝 이벤트도 수시로 진행되니 놓치지 마세요!